TU TE SOUVIENDRAS DE MOI

DU MÊME AUTEUR

Le lieu commun (show de toilettes), inédit, 1992.

Le jour de la fête de Martin, inédit, 1992.

Les gagnants, inédit, 1994.

Si la tendance se maintient (chronique référendaire), inédit, 1995.

Cul sec, Leméac Éditeur, 1996.

Le souper va être froid, inédit, 1996.

«Jésus revient sur Terre», *Mœbius,* n° 75, hiver 1997.

La montagne, inédit, 1997.

15 secondes, Leméac Éditeur, 1998.

Code 99, Dramaturges Éditeurs, 2000.

La nostalgie du paradis, Dramaturges Éditeurs, 2000.

C'est devenu gros (en collaboration avec Marie-Hélène Thibault), inédit, 2000.

Adieu beauté, la comédie des horreurs, Duchesne Éditeur, 2001.

La société des loisirs, Dramaturges Éditeurs, 2003.

«Le requin», *Les zurbains en série,* Dramaturges Éditeurs, 2005.

Les frères Laforêt, Dramaturges Éditeurs, 2007.

Enfantillages, Leméac Éditeur, 2013.

François Archambault

TU TE SOUVIENDRAS DE MOI

théâtre

LEMÉAC

Ouvrage publié sous la direction de
Diane Pavlovic

Photographie de couverture : © Clémence Archambault

Leméac Éditeur reconnaît l'aide financière du gouvernement du Canada par l'entremise du Fonds du livre du Canada pour ses activités d'édition et remercie le Conseil des arts du Canada, la Société de développement des entreprises culturelles du Québec (SODEC) et le Programme de crédit d'impôt pour l'édition de livres du Québec (Gestion SODEC) du soutien accordé à son programme de publication.

ISBN 978-2-7609-0439-2

© Copyright Ottawa 2014 par Leméac Éditeur
4609, rue D'Iberville, 1er étage, Montréal (Québec) H2H 2L9
Dépôt légal – Bibliothèque et Archives nationales du Québec, 2014

Imprimé au Canada

CRÉATION ET DISTRIBUTION

La pièce a été créée à Montréal le 14 janvier 2014,
par le Théâtre de la Manufacture, à la Licorne,
dans une mise en scène de Fernand Rainville.

ÉDOUARD : Guy Nadon
MADELEINE : Johanne-Marie Tremblay
ISABELLE : Marie-Hélène Thibault
PATRICK : Claude Despins
BÉRÉNICE : Emmanuelle Lussier-Martinez

Assistance à la mise en scène : Stéphanie Raymond
Décor, costumes et accessoires : Patricia Ruel
Éclairages : André Rioux
Musique : Larsen Lupin
Direction artistique du spectacle : Jean-Denis Leduc

PERSONNAGES

ÉDOUARD, historien dont la mémoire
commence à faire défaut

MADELEINE, épouse d'Édouard

ISABELLE, fille d'Édouard et de Madeleine

PATRICK, nouveau conjoint d'Isabelle

BÉRÉNICE, fille de Patrick

1.

Comme si un champ de phragmites avait poussé à l'intérieur d'une vaste maison de campagne.

Ou l'inverse... Comme si une maison de campagne avait poussé dans un champ de phragmites ?

Quelques meubles, probablement. Peut-être pas. Idéalement, un lieu qui puisse évoquer la maison de campagne et la nature qui l'entoure. Des scènes d'intérieur et d'extérieur. Quelque chose d'automnal dans les tons.

Édouard, un homme dans la soixantaine, et sa femme, Madeleine, se tiennent debout au milieu de cet étrange champ. Ils font face à une équipe de tournage pour une émission de télé. Madeleine, peu habituée à être sous les projecteurs, semble nerveuse. Édouard, lui, agit comme si sa femme n'était pas là. Il est là pour donner un show. Il est énergique, fait de l'esprit et ne s'apitoie surtout pas sur son sort.

ÉDOUARD. Le pire dans tout ça, c'est que j'ai encore une excellente mémoire ! Je me souviens des dates ; j'ai toujours eu une mémoire phénoménale pour les dates.

MADELEINE. Les dates des guerres, surtout.

ÉDOUARD. Les changements de régimes, le déclin des civilisations.

MADELEINE. En histoire, ce qu'ils retiennent, surtout, c'est les dates des guerres.

ÉDOUARD. Je pourrais vous parler des réformes d'Akhenaton, vous réciter les plus beaux chants

9

d'Homère, vous raconter comment Hernán Cortés a mis à feu et à sang la ville de Mexico après avoir trompé le roi Montezuma…

MADELEINE. C'est ce que je vous disais : la guerre.

ÉDOUARD. Je pourrais même vous raconter en détail ma première journée comme prof d'université.

MADELEINE. C'est ça qui est ironique : il a une excellente mémoire.

ÉDOUARD. J'étais entré dans la classe avec un bon vingt minutes d'avance. Je m'étais dit : c'est l'université, oui, mais c'est pas une raison pour que ça soit impersonnel. J'avais vingt-neuf ans. J'étais un tit-cul, naïf, idéaliste…

MADELEINE. Il l'a racontée tellement souvent, cette anecdote-là. C'est pour ça qu'il s'en souvient.

ÉDOUARD. À chaque étudiant qui entrait dans le local, je lui demandais son nom, avec comme objectif de me souvenir du nom de chacun de mes quarante-cinq élèves dès la première journée…

MADELEINE. Il pourrait pus faire ça…

ÉDOUARD. Les élèves entraient, je disais bonjour, je demandais le nom, je notais sur une feuille le nom et une caractéristique de l'élève. Nez retroussé, cheveux en bataille, allure médiévale, poitrine exquise…

MADELEINE. Évidemment…

ÉDOUARD. Les élèves ont défilé devant moi, la classe s'est remplie… Et puis, un homme est entré, plus âgé, quarante ou cinquante ans, avec sa mallette… Je le regarde. Il me regarde. Confusion. Je m'étais trompé de local ! Les élèves que je venais de rencontrer – dont je m'étais efforcé de retenir le nom – étaient pas les miens. Mais vous me croirez peut-être pas… Je me souviens encore de leur nom et de leur visage.

MADELEINE. Vous êtes vraiment pas obligé de le croire !

ÉDOUARD. Nez retroussé – Alain Dubois. Cheveux en bataille – Georges Grenier. Allure médiévale – Nathalie Morin. Poitrine exquise – Julie Berthiaume…

MADELEINE. Il dit ça, mais dans le fond, il pourrait dire n'importe quel nom. On sait pas. On était pas là !

ÉDOUARD. J'invente rien, là, c'est les vrais noms ! J'ai une très très bonne mémoire… Je me souviens des dates, j'ai toujours eu une mémoire phénoménale pour les dates. Les dates des guerres, les changements de régimes, le déclin des civilisations…

MADELEINE. Ça va, chéri…

ÉDOUARD. Quoi ? C'est vrai ! J'ai une bonne mémoire, non ?

MADELEINE. T'as une bonne mémoire, oui… *(Se tournant vers la caméra.)* Mais il pourrait pas vous raconter sa journée d'hier. Même celle d'aujourd'hui. *(Retournant à Édouard.)* Qu'est-ce que t'as pris ce matin pour déjeuner ?

ÉDOUARD. Pourquoi tu me demandes ça ? C'est pas intéressant de parler de ça !

MADELEINE. Il s'en souvient pas !

ÉDOUARD. J'ai sûrement mangé des céréales. Je mange toujours un bol de céréales le matin.

MADELEINE. Oui, mais quelle sorte ?

ÉDOUARD. Franchement, Madeleine ! Les gens s'en torchent de savoir quelle sorte de céréales je mange le matin !

MADELEINE, *à l'animateur.* Il peut pas répondre à ça.

ÉDOUARD. Je vois pas pourquoi je répondrais à ça ! De toute façon, tous les matins, je fais la même chose. Je me lève. Je vais chercher mon journal. Je le dépose sur la table de la cuisine. Après, je vais faire mon pipi du matin. Intéressant, hein ? Je me prends un bol de céréales pis j'épluche le journal.

MADELEINE, *à Édouard.* Ce matin, t'as pas mangé de céréales. Il a oublié de manger ses céréales ce matin.

ÉDOUARD. Mon Dieu ! Non, mais quel drame ! Je sais pas comment je fais pour être encore capable de me tenir debout ! J'espère que j'ai pas oublié de mettre des sous-vêtements propres, en plus !

MADELEINE. Chéri…

ÉDOUARD. Non, mais tu veux qu'on parle de « ça » ? De mon « état » ? Certain, on va en parler ! Comme je disais, j'ai lu les journaux ce matin, et vous pouvez me questionner : j'ai absolument rien retenu ! Mais, entre vous et moi, je pense pas que je perds grand-chose… On vit à une époque tellement misérable sur le plan des idées. On fait du surplace ! Y a rien qui se passe !

MADELEINE. Mon mari s'ennuie de la Révolution tranquille…

ÉDOUARD. Je m'ennuie de René Lévesque ! Oui ! Et par moments, je trouve l'air ambiant tellement déprimant que je m'ennuie presque de Pierre Elliott Trudeau !

MADELEINE. T'exagères! Je pense pas qu'il s'ennuie de Pierre Elliott Trudeau!

ÉDOUARD. Certainement! Pour les échanges musclés. Les coups donnés! La lutte, le mouvement: il se passait quelque chose! *(Il s'emballe.)* Pis c'est pas juste une question de souverainistes versus fédéralistes. C'est un problème de fond qu'on vit en ce moment. Aujourd'hui, tout doit être réduit à sa plus simple expression. À la forme de slogan. Prenez, par exemple, la question référendaire de 1980 – tout le monde a dit que c'était une erreur, qu'elle était trop longue, trop compliquée… mais elle avait le mérite de respecter l'intelligence du citoyen! Pensez-vous qu'une telle question serait possible dans le monde actuel? Jamais de la vie! Les gens s'intéressent pus aux idées, s'intéressent pus à la lecture, s'intéressent pus à la réflexion… Ils s'intéressent uniquement aux «sensations». «J'aime, je trippe, je twitte, je buzze…» En fait, la seule révolution qui compte actuellement, c'est la révolution technologique. La suprématie de l'Internet! Si t'as pas ton site ou ton blogue, si tu twittes pas, si t'es pas sur Facebook pis YouTube, t'existes pas! Comme si le monde virtuel était en train de se substituer au monde matériel… Je vous le dis, là – je pèse mes mots – on assiste vraiment à la *désintégration du monde*!

Il s'arrête et reprend son souffle. Madeleine lui jette un regard inquiet.

Et si on revient à ma «maladie», on sait pas, peut-être que mon cerveau, devant la bêtise humaine ambiante, a délibérément choisi de tirer la plogue… et que c'est pour ça que j'en perds des bouts.

VOIX DU RÉALISATEUR DE L'ÉQUIPE DE TOURNAGE. Excellent! On a tout ce qu'il nous faut.

MADELEINE. C'est déjà fini? Me semble qu'on a pas parlé de comment on vit ça, au quotidien…

ÉDOUARD. T'as pas envie de les faire brailler, quand même? Ils viennent de dire que c'était parfait!

MADELEINE. Faut pas vous fier aux apparences. Il a l'air bien, mais le pire, c'est que dans quinze minutes, il se souviendra même pus de vous avoir parlé!

2.

Chez Isabelle. Madeleine, sa mère, se tient devant elle avec une petite valise. Édouard est quelques pas derrière, l'air un peu confus. Patrick, le conjoint d'Isabelle, est là aussi, un peu à l'écart. On sent qu'il ne fait pas encore tout à fait partie de la famille.

MADELEINE. Je viens te le porter. Je suis pus capable.

ISABELLE. Comment ça, tu…

MADELEINE. Je suis pus capable. J'ai-tu le droit de pus être capable ?

ISABELLE. C'est sûr, oui. J'entends ce que tu dis. C'est juste que t'aurais pu avertir…

MADELEINE. Si tu prenais des nouvelles, aussi ! Tu serais peut-être moins surprise si tu prenais des nouvelles une fois de temps en temps !

PATRICK. Écoutez. Isabelle est un peu débordée avec le travail, en ce moment…

MADELEINE, *à Isabelle.* Qu'est-ce qu'il me dit, lui là ? C'est quand même pas lui qui va décider à ta place ?

PATRICK. J'essayais juste de vous expliquer pourquoi Isabelle appelle pas plus souvent…

ISABELLE. On peut-tu avoir cette discussion-là ailleurs que devant papa ?

ÉDOUARD. Ta mère est en train de perdre la carte.

MADELEINE. Faudrait que je me cache pour dire que je suis à boutte? Je m'excuse, mais non. Je suis pus capable! Je le dis! De toute façon, ça peut pas le traumatiser. Il se souvient de rien!

ÉDOUARD. Ça fait longtemps que ta mère est pus capable… Ça date pas de ma maladie.

MADELEINE. Toi non plus t'es pus capable de me sentir!

ÉDOUARD, *à Isabelle.* Je pense pas que c'est une bonne idée que je reste tout seul avec ta mère…

MADELEINE. T'as peur que je te tue?

ISABELLE. Maman!

MADELEINE. Si je voulais vraiment le tuer, ça ferait longtemps que ça serait faite!

ISABELLE. Maman, sacrament!

ÉDOUARD. Je suis désolé. Je retourne pas avec elle.

MADELEINE. Si c'était moi qui étais malade, penses-tu que ton père veillerait sur moi? Il se sauverait en courant pour se garrocher dans les bras d'une de ses anciennes étudiantes!

ÉDOUARD, *à Patrick.* Ma femme a toujours eu peur que je la quitte pour une de mes étudiantes.

MADELEINE, *à Isabelle.* Il arrête pas de me narguer avec ses maudites étudiantes!

ÉDOUARD, *à Patrick.* Si j'avais accepté les avances de toutes celles qui m'aimaient bien, j'aurais un harem pour s'occuper de moi aujourd'hui!

MADELEINE. Vas-y! Appelle-les, voir si elles ont envie de s'occuper d'un vieux sénile qui perd la carte!

ISABELLE. C'est-tu possible de se calmer deux secondes?… Sacrament!

Léger temps.

MADELEINE. Donne-moi juste la fin de semaine. J'ai juste besoin d'un répit.

ISABELLE. Oui, oui. Je comprends ça, là. J'entends ta demande… J'essaye de trouver une solution, moi aussi. Y a pas un centre d'aide qui euh…

MADELEINE. Où je peux «domper» ton père?

ISABELLE. Me semble que tu m'as parlé d'une place…

MADELEINE. Où on peut «domper» son mari à des parfaits étrangers…

ISABELLE. T'es de mauvaise foi, là, maman!

MADELEINE. Ton père est sur la liste d'attente. Pis ils ont pas de place pour lui avant six mois!

ISABELLE. Écoute, maman. C'est juste que ça tombe mal – j'ai une affectation en fin de semaine. Je te l'avais dit, me semble.

MADELEINE. No-non. Tu m'as pas dit ça.

ISABELLE. Ben oui: je devais couvrir le procès du pédophile de Saint-Hyacinthe, mais en fait, ça sera pas ça finalement: avec les inondations qu'y a en ce moment, ils veulent que j'aille rencontrer des familles de sinistrés…

ÉDOUARD. Je suis pas tout seul à oublier des choses, on dirait.

MADELEINE, *à Édouard*. Ça fait trois semaines qu'elle m'a pas appelée! Je vois pas quand elle m'aurait dit ça!

17

ISABELLE. Ça fait pas « trois » semaines !

MADELEINE. De toute façon, c'est maintenant que je suis à boutte, je peux pas reporter ça à la semaine prochaine… Je serai peut-être pas là, la semaine prochaine…

ISABELLE. Comment ça, tu seras pas là ?

Madeleine, qui préfère laisser planer le doute, choisit de ne pas répondre.

PATRICK. Écoute, Isabelle. Je peux le garder, moi.

ÉDOUARD. Ben oui. Il peut me garder.

ISABELLE, *à Patrick.* Ah oui ? Tu ferais ça ?

PATRICK. Ben oui. Pourquoi pas ?

ÉDOUARD. C'est qui, déjà ?

MADELEINE. C'est son nouveau chum.

ISABELLE. Mon nouveau conjoint.

ÉDOUARD. Ah oui ?

ISABELLE. Tu le connais, je te l'ai déjà présenté.

PATRICK. C'est Patrick.

ÉDOUARD. Patrick.

PATRICK. Oui.

ÉDOUARD. Je m'en souviendrai pas de toute façon.

ISABELLE, *à Patrick.* Tu devais pas aller jouer au poker avec tes chums ?

PATRICK. Je peux annuler. *(À Madeleine.)* C'est-tu correct si je m'en occupe ou bien je suis trop étranger ?

ISABELLE. T'es pas trop étranger, franchement !

18

MADELEINE. On peut quand même pas dire qu'il fait partie de la famille !

PATRICK. Écoutez, je veux juste aider, moi là. Il est pas en phase terminale. Je vais être capable de m'en occuper, je pense bien.

ISABELLE, *à Madeleine.* C'est ça ou tu repars avec…

ÉDOUARD. J'ai un coup de fatigue, là. Est-ce que je peux juste… m'étendre un peu ?

Patrick s'approche d'Édouard et l'escorte vers le divan.

PATRICK. Venez.

Édouard s'étend sur le divan. Madeleine jette un coup d'œil à son mari et réfléchit un bref instant. Elle se tourne ensuite vers Isabelle.

MADELEINE, *à Isabelle.* Il a des vêtements propres pis un pyjama. Pis dans son sac de cosmétiques y a ses médicaments avec une feuille qui indique à quelle heure il doit les prendre.

PATRICK. Ça va aller, Madeleine. Vous avez pas à vous inquiéter.

MADELEINE, *à Isabelle.* Faut juste pas le laisser tout seul. Si vous avez à sortir – je sais pas, pour acheter du lait – faut lui laisser une note pour pas qu'il s'inquiète.

PATRICK. Ça va. J'ai tout ce qu'il faut. J'aurai pas à sortir.

MADELEINE, *toujours pour Isabelle.* Faut pas le laisser trop dormir le jour, sinon la nuit il s'endort pus. Pis il se promène dans la maison. Il va peut-être se demander où il est. Il va peut-être vouloir sortir pis rentrer chez nous. L'idéal, ça serait de l'embarrer dans sa chambre, mais j'imagine que ça se fait pas. Si il était à l'hôpital, probablement qu'ils l'attacheraient à son lit... En tout cas. Si jamais il se réveille, vous pouvez lui faire manger quelque chose. Des céréales, du gruau. Pis si il veut pas se recoucher, amenez-le dehors pour qu'il voie que c'est bien la nuit. Normalement, il finit par accepter de se recoucher.

ÉDOUARD. J'ai pas complètement perdu la carte...

MADELEINE. Pas encore, non.

ISABELLE. Ça va aller, maman. Je suis sûre que Patrick va faire ça comme du monde. Si c'était un moron, je sortirais pas avec.

MADELEINE, *s'adressant enfin à Patrick, fragile.* Tu fais attention à lui. J'aurais pas le goût qu'il lui arrive quelque chose.

PATRICK. Il arrivera rien.

Madeleine regarde Édouard un moment. Puis elle s'approche, s'assoit près de lui. Elle lui prend la main, lui flatte les cheveux et lui sourit tendrement.

MADELEINE. Je m'excuse. Je suis juste fatiguée.

ÉDOUARD. Ça va. Ça va aller.

MADELEINE. Je pense pas toutes les horreurs que je t'ai dites, tu sais.

ÉDOUARD. Ça va... Qu'est-ce que tu m'as dit, exactement?

MADELEINE. Rien. J'ai rien dit. J'ai dit que je t'oublierai pas.

ÉDOUARD. Tu m'oublieras pas?

Elle fait signe que non et embrasse Édouard sur le front.

MADELEINE. Peu importe ce qui arrive, oké?

ÉDOUARD. Moi non plus. Je t'oublierai pas.

MADELEINE. Fais-moi pas des promesses que tu peux pas tenir.

ÉDOUARD. J'aime ça quand tu me joues dans les cheveux.

MADELEINE. Bye.

ÉDOUARD, *l'air étonné.* Tu t'en vas?

3.

Chez Isabelle. Patrick prend connaissance de la feuille de recommandations rédigée par Madeleine. Isabelle se maquille et se prépare à partir. Édouard, un peu perdu, observe Patrick.

ÉDOUARD. Toi, Michel, qu'est-ce que tu fais dans la vie?

PATRICK. Patrick.

ÉDOUARD. S'cuse-moi. Patrick.

PATRICK. Pour l'instant, je vais m'occuper de vous.

ÉDOUARD. T'es… infirmier?

PATRICK. Oui, c'est ça. Mais je vous donnerai pas votre bain, par exemple. Vous êtes capable de prendre votre bain vous-même, j'espère?

ISABELLE. C'est pas un infirmier, c'est mon chum. Je te laisse avec lui. Je dois partir.

ÉDOUARD. Ta mère est où?

ISABELLE. Maman avait besoin d'une petite pause.

ÉDOUARD. Il lui est pas arrivé quelque chose, toujours?

ISABELLE. No-non. Elle prend un petit congé.

ÉDOUARD. Tu me le dirais si il était arrivé quelque chose?

ISABELLE. Elle va probablement en profiter pour voir Jocelyne.

ÉDOUARD. Oké… *(Léger flottement.)* Ta mère t'as-tu dit ça? On va aller à l'émission de ton meilleur…

ISABELLE. Vous êtes déjà allés, papa.

ÉDOUARD. Ah oui?

ISABELLE. Oui, oui…

ÉDOUARD. Ç'a-tu bien été? J'ai pas eu l'air trop fou?

ISABELLE. Mais non…

ÉDOUARD. Pourquoi tu m'en as pas parlé?

ISABELLE. Je t'en ai parlé, tantôt, quand t'es arrivé.

ÉDOUARD. Ah oui?… Qu'est-ce que tu m'as dit?

ISABELLE. Ben… Je t'ai dit « bravo ».

ÉDOUARD. Tu m'as juste dit « bravo », c'est tout? Ça devait pas être transcendant ben, ben…

ISABELLE. J'ai dit que t'avais bien fait ça. Que c'était parfait…

ÉDOUARD. Parfait, ça m'étonnerait… Ta mère m'a laissé parler, au moins?

ISABELLE. Si maman t'a laissé parler? Quelle bonne blague! T'as eu le temps de nous expliquer en long et en large qu'on vit à une époque caractérisée par une grande médiocrité intellectuelle pis que si on était le moindrement lucides, on ferait pas d'enfants pis on se tirerait toutes une balle dans tête…

ÉDOUARD. J'ai sûrement pas formulé ça comme ça.

ISABELLE. Non. J'avoue. Tu l'as dit avec élégance. Tout le monde a dû applaudir dans son salon!

ÉDOUARD. Mais quand même, avoue que sur le fond, j'ai raison !

ISABELLE. Je sais pas. J'ai pas vécu à d'autres époques, moi. C'est mon époque, je fais avec !

ÉDOUARD, *se tournant vers Patrick.* J'ai pas raison, Michel ?

PATRICK. Patrick.

ÉDOUARD. Patrick...

PATRICK. Je pense qu'il faut pas généraliser. Y a encore des gens qui réfléchissent.

ÉDOUARD. Ça, c'est sûr. Des gens qui réfléchissent, y en a encore. Sauf qu'ils réfléchissent à trouver des façons d'exacerber le narcissisme du pauvre monde pour leur soutirer le plus d'argent possible en leur vendant des gadgets inutiles...

ISABELLE. T'es pas obligé de faire ton show, papa. T'es pas dans une salle de cours ni dans un studio de télé.

ÉDOUARD. T'es comme ta mère. Toi aussi, tu penses que je devrais me taire ? Ben je suis pas d'accord. Je suis un personnage public, j'ai toujours été un personnage public, je vais continuer de l'être... Pis à part de ça... *(Il s'interrompt, confus, ne sachant plus trop ce qu'il allait dire.)* À part de ça... *(Il s'arrête encore, réfléchit.)* À part de ça... Michel... Je sais que c'est pas Michel, mais c'est quoi déjà ton nom ?

PATRICK. Patrick.

ÉDOUARD. Patrick... Qu'est-ce que j'allais te demander, donc ?

PATRICK. Vous parliez de l'émission de télé, je pense...

ÉDOUARD. As-tu trouvé ça bon, toi, l'émission, Patrick ?

PATRICK. Pour être honnête, je l'ai pas regardée. J'aime pas vraiment ça, cette émission-là.

ÉDOUARD. Il reste une seule émission de télévision sérieuse où ils invitent des gens qui font des phrases complètes avec des mots de plus de deux syllabes pis tu trouves le moyen de pas aimer ça ! Ben, chapeau, mon grand ! Qu'est-ce que tu fais dans la vie, déjà ?

PATRICK, *avec dérision.* Infirmière.

ISABELLE, *à Patrick.* Tu regrettes pas trop ta décision ?

PATRICK. Tu devrais te sauver avant que je change d'idée.

Isabelle s'approche et enlace Patrick. Édouard les regarde faire.

ISABELLE. Bye.

Elle embrasse Patrick.

ÉDOUARD. Oké… C'est ton nouveau chum.

ISABELLE, *à Patrick.* T'oublieras pas de changer sa couche…

PATRICK. Han ?

ISABELLE. C'est une blague.

Elle sourit puis elle sort. Patrick et Édouard restent seuls un moment, ne sachant pas trop quoi se dire.

ÉDOUARD. Je pensais que ma fille était encore avec euh…

PATRICK. Michel ? Non, ça, c'est l'ancien, ça, Michel.

4.

Dans une forêt. Édouard et Patrick ont leurs manteaux et leurs bottes. Patrick a un autocollant sur son manteau sur lequel on peut lire «PATRICK» écrit au crayon feutre. Ils ont suivi un sentier. Se sont arrêtés.

ÉDOUARD. Quand on a acheté la maison ici, on s'est toujours dit que quand on serait trop vieux pour s'en occuper, on la laisserait à nos enfants…

PATRICK. C'est un beau spot.

ÉDOUARD. J'ai toujours aimé ça marcher en forêt. Regarder les espèces d'arbres. Voir comment ils se regroupent. Tu vois, ici, t'as beaucoup de trembles… Je connais rien aux écosystèmes, mais ça me fait penser aux hommes. À l'humanité. Comment les hommes occupent le territoire. Comment les peuples ont toujours voulu étendre leur territoire. Exactement comme les espèces végétales. À croire que c'est la nature qui veut ça. *(Pause.)* Je sais pas si t'as remarqué sur le bord des routes et des autoroutes, les grands roseaux – les espèces de fouettes blonds de deux-trois mètres de haut – y en a partout… Comment ça s'appelle, déjà? *(Il sort un petit carnet de sa poche et le feuillette rapidement. Puis il s'arrête à une page.)* C'est du phragmite commun.

PATRICK. Vous êtes drôle. Vous avez noté ça dans votre carnet?

ÉDOUARD. Je trouvais ça important. C'est une vraie épidémie. Ça se propage à une vitesse folle. Si bien que c'est en train de tuer la diversité des fleurs sauvages d'ici… C'est comme la culture de masse. Comme les États-Unis… Ou la Chine. Un vrai bulldozer qui veut tout écraser sur son passage… *(Il se tourne vers Patrick.)* Qu'est-ce que tu fais dans la vie, Patrick?

PATRICK. Cosmonaute.

ÉDOUARD. … Cosmonaute? Tu veux dire…

PATRICK. Dans l'espace, oui.

Édouard dévisage longuement Patrick.

ÉDOUARD. … Tu te fous de ma gueule, toi là…

PATRICK. C'est juste que ça fait à peu près dix fois que vous me demandez ça. J'essaie de varier mes réponses, un peu. Sinon ça devient redondant.

ÉDOUARD, *avec humour.* Cosmonaute… C'est bon. J'aime ça. *(Jouant le jeu.)* Est-ce que t'es allé sur la fameuse station orbitale?

PATRICK, *jouant le jeu lui aussi.* Plusieurs fois, oui.

ÉDOUARD. Et c'est comment, la Terre, vue d'en haut?

PATRICK. Ah… C'est… Indescriptible…

ÉDOUARD. C'est tout? C'est un peu court, jeune homme.

PATRICK, *se reprenant, improvisant.* Vous voulez quoi? La réponse écologique? «Quand on observe la Terre, vue d'en haut, on comprend qu'elle est notre unique vaisseau et qu'il faut absolument cesser de la fragiliser en la polluant.» Ou bien la réponse politique? «L'observation de notre planète et les données recueillies par notre station spatiale nous permettront de nombreuses avancées scientifiques, dont les retombées sur les habitants de la Terre valent amplement les milliards engloutis dans ce merveilleux projet.» La réponse poétique? «Cette boule bleue qui roule dans l'univers absorbe la lumière et fait miroiter son mystère...» La réponse banale mais sincère : « C'est tellement, tellement, tellement beau.» Ou bien, la réponse classique : «Devant ce spectacle inouï, même si toute ma vie j'ai cherché des réponses rationnelles et réfléchies quant à notre existence et à l'organisation de notre univers, je me suis surpris à douter de l'inexistence de Dieu»...

ÉDOUARD. T'as beaucoup d'imagination. Qu'est-ce que tu fais dans la vie?

PATRICK. Je suis dans le domaine des arts.

ÉDOUARD. Moi, quand je prends l'avion, je suis toujours, comment dire, sur le cul. Alors, j'imagine, dans l'espace... Si t'es près du hublot et que c'est la nuit, tu vois les lumières des villes. Tu vois comment s'organisent les villes. Tu vois les agglomérations. Les routes. Tu vois les véhicules qui circulent sur ces routes-là, sur les autoroutes, les échangeurs qui font des boucles... Pis t'es sur le cul – je veux dire, vue du ciel, on a l'impression que l'humanité est une réussite. En fait, plus on s'éloigne, plus on a l'impression que l'aventure humaine est une réussite... Mais on a qu'à ramener les yeux vers l'intérieur, à se tourner vers notre voisin qui ronfle, la bouche ouverte, on a qu'à voir les passagers qui regardent un film d'avion insignifiant ou encore celui qui a décidé de se soûler pour oublier sa peur de voir l'appareil s'écraser... ou bien les regards exaspérés devant la pauvre mère de famille qui est aux prises avec son bébé qui braille à tue-tête, les hôtesses de l'air qui placotent, l'homme d'affaires qui consulte plus ou moins discrètement la revue érotique qu'il s'est procurée à l'aéroport avant de partir, l'ado boutonneux qui pitonne sur son jeu vidéo portatif… Pis on constate toute la laideur et la bêtise des êtres humains. *(Pause. Il regarde Patrick un bref instant.)* Qu'est-ce que tu fais dans la vie, Patrick ?

PATRICK. Ingénieur.

ÉDOUARD, *impressionné*. Ingénieur ?

PATRICK. Ingénieur routier, en fait. Je conçois les routes, les échangeurs, les ponts.

ÉDOUARD. Bon choix de carrière ! Avec tous les viaducs qui s'écroulent, t'es pas à la veille de manquer de travail !

Patrick acquiesce mollement.

PATRICK. Parlez-moi donc d'Isabelle.

ÉDOUARD. Tu connais Isabelle ?

PATRICK. Je suis son nouveau… conjoint.

ÉDOUARD. Ah oui ? Ma fille sort avec un ingénieur ?

PATRICK. Elle est plutôt secrète par rapport à son enfance. Même sa vie avec son ex, Michel, j'en sais pas grand-chose.

ÉDOUARD. Y a pas grand-chose à dire. Isabelle était une enfant studieuse. On a jamais eu de problèmes avec elle. Sportive à ses heures. Elle jouait au tennis, faisait du ski alpin. C'était pas une championne, on sentait bien qu'elle était plus intellectuelle, mais c'était important pour nous que nos enfants fassent du sport.

Léger flottement. Édouard regarde Patrick d'un air confus.

PATRICK. Ça va?

ÉDOUARD. On est en quelle année, là?

PATRICK. En quelle année?

ÉDOUARD. Je veux dire : Isabelle a quel âge?

PATRICK. Quarante et un.

ÉDOUARD. Quarante et un?

PATRICK. C'est ce qu'elle m'a dit, en tout cas.

ÉDOUARD. Je commence à être fatigué. On va aller rejoindre Madeleine, oké?

PATRICK. Euh… Madeleine est partie.

ÉDOUARD. Partie? Tu veux dire… Partie, pour toujours?

PATRICK. No-non. Inquiétez-vous pas. Elle revient dans deux dodos.

5

Patrick et Isabelle se parlent au téléphone.

PATRICK. Il est en pleine forme. Il a pas mal de jasette. Je m'attendais à ce qu'il soit plus taciturne, mettons.

ISABELLE. Il t'emmerde avec ses histoires, c'est ça?

PATRICK. No-non. C'est ben correct... Toi?

ISABELLE. Je sais pas ce que je fais ici. Y a de l'eau partout. Avec le caméraman, on se promène en chaloupe, en plein milieu de la rue. Il est ben content. Ça donne des belles shots. J'interviewe les gens, ils sont détruits, j'en ai trois-quatre qui ont craqué devant la caméra, en plein milieu d'une phrase. Je les regarde faire pis ça me fait rien. Pire que ça, je les méprise – j'ai juste le goût de leur dire : « Tu la finis-tu, ton estie de phrase? Ben non, laisse faire, braille. Braille donc toutes les larmes de ton corps. Tu trouves pas qu'y a assez d'eau de même, innocent? »

PATRICK. Tu devrais aller te coucher.

ISABELLE. Est-ce que ma mère a appelé pour prendre des nouvelles, au moins?

PATRICK. Oublie tout ça, là. Va te coucher... Repose-toi.

Léger flottement.

ISABELLE. Je m'ennuie de toi...

Bérénice entre dans la pièce. Patrick la regarde entrer.

BÉRÉNICE, *à Patrick.* Salut.

ISABELLE, *au téléphone.* Toi?

PATRICK, *à Isabelle, au téléphone.* Han? Quoi?

ISABELLE. Tu t'ennuies pas de moi, toi?

PATRICK. Ben. Je te l'ai dit… J'ai pas le temps de m'ennuyer, avec toutes les histoires que ton père me raconte…

ISABELLE. T'es con.

PATRICK. Va te coucher, là. Je te sens fatiguée.

ISABELLE. Oké… Bye?

PATRICK. Bonne nuit.

Il raccroche et regarde Bérénice. Elle lui sourit.

BÉRÉNICE. Il est où?

6.

Édouard assis sur un divan, face à Bérénice, qui est penchée sur son téléphone intelligent.

ÉDOUARD. Est-ce qu'on se connaît?

BÉRÉNICE. Ça fait dix fois que vous me demandez ça.

ÉDOUARD. T'es une de mes étudiantes?

BÉRÉNICE. Vous êtes sûr que vous voulez pas écouter la tévé?

ÉDOUARD. On a couché ensemble?

BÉRÉNICE. Vous avez une fixation là-dessus, je pense.

ÉDOUARD. Quoi?

BÉRÉNICE. Coucher avec vos étudiantes.

ÉDOUARD. T'es pas une de mes étudiantes…

BÉRÉNICE. Vous enseignez pus, je pense. Pis moi, je vas pus à l'école. Fait que je suis sûrement pas votre étudiante.

ÉDOUARD. Dommage…

BÉRÉNICE. Regardez dans votre carnet.

ÉDOUARD. Quoi?

BÉRÉNICE. Vous l'avez noté dans votre carnet.

Édouard, intrigué, ouvre son carnet, le feuillette jusqu'à la dernière entrée.

ÉDOUARD, *lisant.* « La jolie demoiselle à chevelure rouge qui n'ose pas me sourire est la fille de Patrick. » *(Bérénice sourit à Édouard, l'air de dire « c'est ça ». Édouard la regarde, toujours aussi perplexe.)* Et Patrick, c'est… ?

BÉRÉNICE. Patrick, c'est le chum de votre fille. *(Expéditive, avec lassitude.)* Il est supposé vous garder parce que votre fille travaille pis que sa job est supposément tellement importante qu'a peut pas s'absenter – mais là, comme vous pouvez le constater, il est pas là : ça lui tentait d'aller jouer au poker avec ses chums, ça fait qu'il m'a suppliée de venir vous garder, ce que j'ai accepté de faire en échange d'un montant d'argent – d'un salaire, si vous voulez – montant que je trouvais intéressant parce que je me disais que ça serait sûrement plus facile que de garder des enfants, mais là, vraiment, je suis pus certaine que c'est si bien payé que ça.

ÉDOUARD. Est-ce que tu sais qui je suis ?

BÉRÉNICE. Oui, oui. Je sais. Je vous ai vu, à la tévé, avec votre femme.

ÉDOUARD. Y a beaucoup de gens qui payeraient pour passer du temps tout seuls avec moi.

BÉRÉNICE. Ç'a l'air que mon père les a pas trouvés parce que là, c'est moi qui est là. *(Léger flottement. Édouard regarde Bérénice, qui continue de pitonner sur son téléphone intelligent. Il la regarde longuement. Bérénice finit par en être agacée.)* Arrêtez de me regarder de même ! Je vous l'ai dit : je suis pas votre étudiante !

ÉDOUARD. T'es pas curieuse. T'as devant toi une encyclopédie vivante. Tu pourrais en profiter.

BÉRÉNICE. C'est quoi, là ? Faudrait que je vous demande votre autographe ?

ÉDOUARD. Tu pourrais me demander de te raconter un moment fort de l'histoire de l'humanité. J'ai une très bonne mémoire. Je pourrais te raconter l'histoire de la bibliothèque d'Alexandrie, la Guerre de Troie, je peux te raconter comment Mahomet a fondé sa religion à partir des enseignements de Jésus-Christ – ce qui est assez ironique, quand même…

BÉRÉNICE. Je comprends pas votre affaire. Vous êtes pas supposé être à la retraite ? Vous avez faite ça toute votre vie, enseigner. Prenez un break, là !

ÉDOUARD. Ouin. Vraiment pas curieuse…

BÉRÉNICE. Je pense pas que vous êtes ben ben plus curieux que moi.

ÉDOUARD. Ah bon.

BÉRÉNICE. Vous vous intéressez juste aux morts. Au monde qui sont pus là.

ÉDOUARD. C'est ce que tu penses ?

BÉRÉNICE. C'est ça, l'Histoire, non ? Entre vous pis moi, Mahomet, Jésus-Christ, Napoléon, on s'en sacre ! C'est fini, ce niaisage-là. On passe à un autre appel ! Y a d'autres choses que ça, dans vie !

ÉDOUARD. Comme ?

BÉRÉNICE. Vous pensez que je vous vois pas venir avec vos gros sabots ? Je vous ai vu faire votre show à la tévé. Vous avez juste envie de me faire la morale. Me dire que c'est cave de passer du temps à pitonner sur mon cell.

ÉDOUARD. T'as vu l'entrevue ?

BÉRÉNICE. Comme tout le monde ! Pas parce que je m'intéresse à vous, là ! Ils nous ont vendu ça comme un grand moment de tévé…

ÉDOUARD. T'as pas trouvé que c'était un grand moment de télé, si je comprends bien. Évidemment, y avait pas de sang, ni d'explosion, ni de sexualité gratuite…

BÉRÉNICE. Enflez-vous pas trop la tête. C'est pas vous que le monde voulait voir : c'est votre maladie.

Édouard semble soudainement inquiet.

ÉDOUARD. J'avais pas l'air trop… confus, j'espère ?

BÉRÉNICE. Vous étiez plus fendant que confus, mettons !

ÉDOUARD. Fendant ?

BÉRÉNICE. Oui. Fendant.

ÉDOUARD. C'est ça qui arrive, au Québec ! Aussitôt qu'on a un peu de prestance et qu'on s'exprime avec un vocabulaire adéquat, on passe pour un fendant !

BÉRÉNICE. J'ai rien contre votre manière de parler. C'est juste que vous vous foutez pas mal de la gueule du monde, je trouve.

ÉDOUARD. Continue. Tu m'intéresses.

BÉRÉNICE. Vous chiez sur l'Internet, vous voyez ça comme la fin de la civilisation, genre… Si vous connaissiez ça, un peu, Facebook, YouTube, vous sauriez que le principe derrière toute ça, c'est de s'intéresser à ce que les autres font, justement ! Ça permet aux gens d'échanger des idées…

ÉDOUARD. Je suis au courant. C'est super. Tout le monde peut s'exprimer ! Même pas besoin de savoir de quoi tu parles. C'est la démocratisation de la bêtise humaine !

BÉRÉNICE. Combien de fois vous êtes allé sur YouTube ?

ÉDOUARD. Deux-trois fois. Ça m'a suffi pour me rendre compte à quel point c'est insignifiant.

BÉRÉNICE. Je sais pas c'est qui, l'insignifiant, dans tout ça ! Vous êtes juste allé deux fois sur YouTube pis vous faites votre tit-Jo connaissant à tévé ! *(Édouard regarde Bérénice d'un air ahuri et perplexe.)* Pis si vous voulez savoir, c'est sur YouTube que je l'ai vue, votre estie d'entrevue plate !

ÉDOUARD. Est-ce qu'on se connaît ?

BÉRÉNICE, *lasse.* Tabarnack…

ÉDOUARD. Non, mais c'est parce que de la façon dont tu me parles, je me dis : on doit se connaître…

BÉRÉNICE. Votre carnet ! Regardez votre carnet, stie !

Édouard regarde son carnet.

ÉDOUARD, *lisant.* « La jolie demoiselle à chevelure rouge qui n'ose pas me sourire est la fille de Patrick. » *(Il sort un crayon, raye quelque chose. Et écrit, en récitant.)* « La jolie demoiselle à chevelure rouge qui me traite comme un débile léger est la fille de Patrick. » *(Il regarde Bérénice.)* C'est qui, Patrick ?

BÉRÉNICE. Encore une preuve que vous vous intéressez pas aux autres ! Vous m'avez même pas demandé mon nom à moi !

ÉDOUARD. Je t'ai pas demandé ?

BÉRÉNICE. Étant donné que je suis pas votre étudiante pis qu'on a pas couché ensemble, j'imagine que vous vous en foutez royalement !

ÉDOUARD. C'est parce que j'oublie. Je demande pus les prénoms, parce que je sais que de toute façon, je vais oublier. Mais je m'excuse. C'est toi qui as raison. Dis-moi ton prénom.

BÉRÉNICE. No-non. C'est correct, là.

ÉDOUARD. Dis-moi-le. S'il te plaît.

BÉRÉNICE. Bérénice.

ÉDOUARD, *faiblement, l'air surpris.* … Bérénice?

BÉRÉNICE. Bérénice… Je sais, c'est un peu weird comme prénom… Mais mon père est un genre d'intellectuel, fait qu'il avait le goût de faire son smatte pis de me donner un prénom original…

ÉDOUARD. Nathalie…

BÉRÉNICE. J'ai pas dit Nathalie, crisse! J'ai dit: Bé-ré-ni-ce!

ÉDOUARD, *confus.* Madeleine? Où elle est, Madeleine?

BÉRÉNICE. Han? C'est qui, Madeleine?

ÉDOUARD, *soudainement en état de panique.* Je veux voir Madeleine! Où elle est, Madeleine?

BÉRÉNICE. … Je sais pas, là. C'est votre femme, ça, Madeleine?

Édouard se lève et cherche du regard dans la pièce.

ÉDOUARD, *criant.* Madeleine!… Madeleine!

BÉRÉNICE. Est pas là, là, Madeleine! Rassoyez-vous, là.

ÉDOUARD. Où est-ce que je suis?

BÉRÉNICE. Vous êtes chez votre fille…

ÉDOUARD, *violemment.* T'es qui, toi? Je veux voir Madeleine, maintenant! C'est-tu clair? Dis-moi où elle est, je veux la voir!

BÉRÉNICE, *pour elle-même.* Merde, merde, merde... C'est pas vrai. (*Elle compose un numéro sur son cellulaire, colle l'appareil contre son oreille et attend qu'on réponde pendant qu'Édouard se promène dans la pièce, l'air désespéré.*) Papa, câlice! Tu m'avais dit que tu laisserais ton cell ouvert, ostie! (*Elle regarde Édouard, qui s'empare de sa veste et l'enfile.*) Je sais pas ce qui passe avec le bonhomme, là... Il capote... Faut que tu reviennes... (*Édouard sort de la maison, sous le regard stupéfait de Bérénice.*) Tabarnack... Il vient de sortir... Je vas le perdre, là... Il s'en va dans le bois pis j'ai même pas de flash light! (*Elle raccroche. Pour elle-même.*) Estie de marde...

Elle sort précipitamment de la maison.

7.

Édouard marche dans la forêt, l'air épuisé. Bérénice vient de le rattraper.

BÉRÉNICE, *essoufflée.* Monsieur Beauchemin... Faut rentrer à la maison, là...

ÉDOUARD. Je veux trouver le chêne... Le vieux chêne...

BÉRÉNICE. Quel vieux chêne?

ÉDOUARD. Le chêne de Madeleine. Notre chêne à nous deux... Je suis sûr qu'elle nous attend là.

BÉRÉNICE. Je la connais pas, la forêt... Je peux pas le trouver votre chêne, je sais pas il est où...

ÉDOUARD. Bon bien d'abord, je bouge pas d'ici...

Il s'assoit par terre.

BÉRÉNICE, *pour elle-même.* Tabarnack... *(Découragée, elle sort son cellulaire. Pour elle-même.)* Bordel de merde... Pas de signal.

ÉDOUARD. T'appelles Madeleine?

BÉRÉNICE. No-non. *(Cynique.)* J'ai un GPS là-dessus. Pis je suis en train d'inscrire ça, là: «vieux chêne de Madeleine». Avec Google Maps, ça va toute m'indiquer le chemin...

ÉDOUARD. Tu te fous de ma gueule...

BÉRÉNICE. Un peu, oui.

Édouard porte une main à sa poitrine, inquiet, ayant de la difficulté à reprendre son souffle.

ÉDOUARD. Je suis ben essoufflé, donc…

BÉRÉNICE. Normal. Vous venez de courir comme un perdu…

ÉDOUARD. Pourquoi?

BÉRÉNICE. Comment, pourquoi?

ÉDOUARD. On se sauve de quelqu'un?

BÉRÉNICE, *découragée.* Vous êtes pas en train de vous sauver de quelqu'un. Vous cherchiez votre femme…

ÉDOUARD. Oké… Je vais pas bien, hein?

BÉRÉNICE. On peut pas dire que ça va bien, non.

ÉDOUARD. Madeleine a dû oublier de me donner mes médicaments.

BÉRÉNICE. Des médicaments? Quels médicaments? Vous prenez des médicaments, vous? *(Pour elle-même.)* … Ciboire!

ÉDOUARD. T'es qui? T'es pas mon infirmière?

BÉRÉNICE. Sacrament…

ÉDOUARD. Tu sacres beaucoup pour une infirmière…

BÉRÉNICE. Ça doit être parce que je suis pas une ben bonne infirmière. *(Elle se laisse choir sur le sol.)* Voulez-vous ben me dire qu'est-ce que je fais ici?

ÉDOUARD. Honnêtement, je suis peut-être pas la bonne personne à qui demander ça. *(Léger flottement. Il regarde Bérénice.)* T'es jolie, en tout cas.

BÉRÉNICE. Ouin, ben, c'est la première chose sensée que vous dites depuis quinze minutes…

Autre flottement.

ÉDOUARD. Qu'est-ce qu'on attend?

BÉRÉNICE. Vous savez pas?

ÉDOUARD. On attend quelqu'un?

BÉRÉNICE. Vous savez pas pourquoi vous êtes sorti de la maison?

ÉDOUARD. J'imagine que tu voulais me faire prendre une marche de santé?

Bérénice regarde Édouard, l'air consterné.

BÉRÉNICE. Venez. On va rentrer.

ÉDOUARD. Madeleine m'attend?

BÉRÉNICE. Oui, c'est ça. Je viens de lui parler sur mon cell. Elle vous demande de revenir.

ÉDOUARD. Qu'est-ce qu'on attend, d'abord?

8.

Édouard est étendu sur le divan. Il dort. Patrick et Bérénice sont à l'écart.

BÉRÉNICE. J'ai eu la chienne de ma vie, là. Je le trouvais pus. Je capotais…

PATRICK. On parle pas de ça à Isabelle. Déjà qu'elle t'aime pas beaucoup.

BÉRÉNICE. De toute façon, c'est pas contre moi qu'a va être en crisse, c'est contre toi.

PATRICK. Elle sera pas en crisse, parce qu'on lui dira rien. C'est-tu clair?

BÉRÉNICE. Sinon quoi? Tu vas me donner une « conséquence » ?

PATRICK. Hey!

BÉRÉNICE. C'est pas moi qui a décidé d'aller jouer au poker…

Patrick considère Bérénice, qui le regarde avec un air frondeur. Hésitation de Patrick. Il sort son portefeuille et l'ouvre.

PATRICK. Si je t'ai demandé de le garder, c'est parce que je pensais que c'était une bonne idée de t'occuper de quelqu'un d'autre au lieu de te pogner le beigne. *(Il remet à Bérénice quelques billets de vingt dollars.)* As-tu commencé à te chercher une job, au moins?

BÉRÉNICE. Franchement. Je suis en sabbatique.

PATRICK. Une sabbatique, normalement, ça se prend quand on est dans la quarantaine.

BÉRÉNICE. Non. Ça, c'est un burnout. *(Patrick voudrait répliquer, mais il tente de se contenir. Pendant ce temps, Bérénice compte les billets que son père lui a donnés.)* Combien tu me donnes de l'heure?

PATRICK. Six…

BÉRÉNICE. Six piastres?

PATRICK. C'est pas ça le tarif quand tu gardes des flos?

BÉRÉNICE. C'est même pas le salaire minimum.

PATRICK, *sortant à nouveau son portefeuille.* Tiens. Je te rajoute quarante. C'est-tu correct?

Il donne quarante dollars à Bérénice.

BÉRÉNICE. Donc, si je résume, si Isabelle me pose des questions, je suis même pas venue te voir, moi là.

PATRICK. Oké. Regarde. Je t'en donne un dernier. Oké?

Il remet un autre billet de vingt à Bérénice, qui semble satisfaite.

BÉRÉNICE, *moqueuse.* Ouin, ben, on dirait que ç'a bien été, ta partie de poker…

9.

Salon d'Isabelle. Édouard, en pyjama, erre dans la pièce, dans la pénombre. Il cherche quelqu'un. Au bout d'un moment apparaît Isabelle, avec sa valise. Elle vient de rentrer de son voyage.

ISABELLE. Qu'est-ce que tu fais là, papa?

ÉDOUARD. Où est-ce qu'elle est?

ISABELLE. Tu devrais être couché! Il est tard! C'est la nuit...

ÉDOUARD. Je pense qu'elle est partie, Isabelle.

ISABELLE. Oui, oui... Mais elle va revenir... Demain matin, tu vas la voir, oké?

ÉDOUARD. Ah oui? Elle va revenir?

ISABELLE. Viens te coucher, là.

Édouard obéit et suit sa fille.

ÉDOUARD. J'espère que je lui ai pas fait trop peur. Je pense que j'ai pas très bien réagi.

ISABELLE. Mmmm? De quoi tu parles?

ÉDOUARD. Ta sœur.

ISABELLE. Quoi?

ÉDOUARD, *s'immobilisant.* Tu viens de me dire qu'elle reviendrait demain matin.

ISABELLE. … Je parlais de maman.

ÉDOUARD. Ta mère ? Ta mère est partie ?

ISABELLE. De qui tu me parles, toi ?

ÉDOUARD. Ben… De Nathalie. Ta sœur. Elle est venue me voir, tantôt.

Patrick, en pyjama et pas très réveillé, apparaît dans la pièce.

PATRICK, *à Isabelle.* Ah. T'es là. Je t'ai pas entendue rentrer… Ça fait-tu longtemps que t'es arrivée ?

ÉDOUARD, *à Isabelle.* Je l'ai pas reconnue tout de suite… Je suis sûr que je me suis comporté comme un idiot. À cause de mon état, tu sais…

ISABELLE, *à Patrick.* Qu'est-ce qui se passe avec lui ?

PATRICK. Quoi ?

ISABELLE. Qu'est-ce qui se passe avec mon père ?

PATRICK. Ben. Je sais pas. Rien. C'est normal. Ta mère a dit que ça lui arrivait de se lever la nuit. Il s'est levé trois fois, je pense, pendant…

ISABELLE. Il me dit que ma sœur est venue ici.

PATRICK. Han ?

ISABELLE. Il cherche ma sœur. Il dit qu'elle est venue ici.

PATRICK. Mais là ! T'as pas de sœur !

ÉDOUARD. C'est qui, lui ?

PATRICK. Je suis le chum de votre fille.

ÉDOUARD, *à Isabelle.* T'es pus avec Michel ?

PATRICK. C'est moi, Patrick. J'ai passé la fin de semaine avec vous.

ÉDOUARD, *à Isabelle*. Qu'est-ce qui s'est passé? Je l'aimais bien, moi, Michel?

PATRICK. Moi aussi vous m'aimez bien. On a passé une très belle fin de semaine, ensemble.

ÉDOUARD. Y avait une fille, aussi. Une fille qui ressemblait à ta sœur.

ISABELLE. De quoi il parle?

PATRICK, *à Isabelle*. Tu vois bien qu'il est confus. Faut pas que t'essayes d'analyser tout ce qu'il dit: tu vas virer folle.

ÉDOUARD. Je suis pas fou. J'ai passé du temps avec une fille… Une jeune fille…

PATRICK. On est allés marcher dans la forêt, ensemble. Vous vous souvenez pas de ça? Vous m'avez parlé du phragmite.

ÉDOUARD. Le phragmite commun?

PATRICK. Oui, c'est ça.

ÉDOUARD. Je t'ai parlé du phragmite?

ISABELLE. C'est quoi, ça? De quoi vous parlez?

ÉDOUARD, *à Isabelle*. Je t'en ai jamais parlé? Les grands fouettes blonds qui poussent sur le bord des autoroutes. Une vraie épidémie. Ça se propage à une vitesse folle. Si bien que c'est en train de tuer la diversité des fleurs sauvages d'ici…

PATRICK. C'est comme la culture de masse. Comme les États-Unis… Ou la Chine. Un vrai bulldozer qui veut tout écraser sur son passage…

ÉDOUARD. Exactement! Comment ça se fait que tu… Je t'ai parlé de ça, aussi?

PATRICK. C'est ce que je vous dis. On a passé la fin de semaine ensemble.

ÉDOUARD. Isabelle était pas là ? Juste toi et moi ?

PATRICK, *à Isabelle.* Tu vois : il est juste un peu mélangé.

ÉDOUARD. Je suis désolé. J'ai dû rêver ça…

Pause. Isabelle regarde Patrick avec un peu de méfiance.

ISABELLE, *à Patrick.* J'aime pas ça.

PATRICK. T'es aussi bien de t'habituer parce que ça va juste aller en empirant, son affaire.

ISABELLE. Franchement. Dis pas ça devant lui.

PATRICK. S'cuse. *(Pause. Isabelle et Patrick jettent un regard vers Édouard, qui vient de rouvrir son carnet.)* Comment ç'a été, toi ?

ISABELLE. Ils ont jamais vu ça. La fille de la météo fait semblant d'être ben attristée de tout ça, mais tu comprends ben qu'elle jubile. C'est son heure de gloire, elle là. Le bulletin de nouvelles ouvre avec elle… Après on enchaîne avec mes braillards qui s'effondrent en gros plan quand je leur demande : « Qu'est-ce que ça vous fait de savoir qu'on annonce un niveau record de pluie pour les trois prochains jours ? »

PATRICK. Pas vrai ? Ils annoncent encore de la pluie ?

ÉDOUARD. Normal. À cause du réchauffement climatique, tout ça. *(Patrick et Isabelle se tournent vers Édouard, qui consulte son carnet.)* Les glaciers fondent, ça augmente le nombre de particules d'eau dans l'atmosphère, ce qui fait que paradoxalement, le réchauffement de la planète engendre, à certains endroits, du temps froid et pluvieux…

PATRICK. Je pense qu'il va mieux. On va se coucher?

ISABELLE. Oké… *(À Édouard.)* Papa. On va retourner se coucher, là. C'est la nuit.

ÉDOUARD, *toujours le nez plongé dans son carnet.* Attends, attends, attends… C'est écrit ici. À propos de la fille… *(Il lit.)* « La jolie demoiselle à chevelure rouge qui me traite comme un débile léger est la fille de Patrick »… *(Isabelle dévisage Patrick. Patrick baisse les yeux, mal à l'aise.)* J'imagine que c'est lui, Patrick.

10.

Patrick et Isabelle sont sortis de la maison. Elle écrase sa cigarette dans un cendrier qu'elle tient dans sa main.

ISABELLE. T'arrêtes pas de me dire que ta fille est une irresponsable finie, pis là, tu la laisses toute seule avec mon père... qui est dans un état psychologique fragile, en plus!

PATRICK. Il est rien arrivé de grave, là.

ISABELLE. Tu m'as menti! Si mon père en avait pas parlé, tu m'aurais jamais rien dit! Tu m'aurais fait accroire que t'as passé tout ton temps avec lui alors qu'en réalité t'étais en train de te soûler avec tes chums!

PATRICK. J'étais pas en train de me soûler...

ISABELLE. Hey!

PATRICK. Quand on joue au poker, on boit presque pas, tu sauras... On joue à l'argent, je fais attention, je peux pas me permettre d'être trop soûl, là...

ISABELLE. Je te dis que t'es responsable!

PATRICK. Je suis désolé... J'ai pensé... En fait, les gars m'ont rappelé, ils ont insisté – pis tu le sais, en ce moment, mon moral est pas... extraordinaire.

ISABELLE. C'est pour ça que je voulais pas t'imposer ça. T'étais pas obligé de te porter volontaire!

PATRICK. Tu serais restée ? T'aurais manqué le travail ?

ISABELLE. … Je sais pas, je…

PATRICK. Je pense pas ! Je me suis dit que ça ferait du bien à Bérénice d'arrêter de se regarder le nombril pis de passer du temps à s'occuper de quelqu'un d'autre… T'sais ?

ISABELLE. Si je comprends bien, mon père sert de cobaye à la réinsertion sociale de ta fille ?

PATRICK. Écoute… Il se souvient d'elle. C'est bon signe, non ?

ISABELLE. Comment, bon signe ?

PATRICK. Il se souvient jamais de moi ! D'une fois à l'autre, il me regarde, il sait pas qui je suis ! Alors qu'elle, on dirait ben qu'elle l'a marqué, t'sais ! C'est positif, non ?

ISABELLE. Il a écrit qu'elle le traite comme un débile léger ! Je m'excuse, mais j'ai de la misère à voir il est où le positif dans tout ça !

PATRICK. Faut pas prendre ça au premier degré… Tu le connais, ton père. Il fait de l'humour, là. Je pense qu'il faisait de l'ironie quand il a écrit ça.

ISABELLE. Dis-moi que tu me niaises ! ?

PATRICK. C'est même un peu affectueux, si tu veux mon avis.

ISABELLE. Débile léger ? Affectueux ?

PATRICK. Fuck ! Il la prend même pour la deuxième fille qu'il a jamais eue ! J'imagine qu'elle a pas trop mal fait ça. Non ?

ISABELLE, *cinglante.* Il est pus question que ta fille mette les pieds ici quand mon père est là. C'est-tu clair?

Elle rentre. Patrick reste seul, pensif.

PATRICK, *découragé, pour lui-même.* Estie de marde…

11.

Isabelle et Madeleine sont seules.

MADELEINE. Comment ç'a été?

ISABELLE. Patrick m'a dit qu'il a eu des nuits agitées pas mal. Mais pour le reste, ç'a bien été.

MADELEINE. Mais toi, comment tu le trouves?

ISABELLE. J'étais pas là, maman.

MADELEINE. Tu l'as vu un peu, quand même. Tu l'as assez vu pour te faire une idée, non?

ISABELLE. Il a l'air bien. Il est quand même en forme.

MADELEINE. Pis son moral?

ISABELLE. Je pense qu'il était un peu désorienté de pas t'avoir près de lui, mais en général, il avait l'air plutôt bien. De toute façon, t'es pas mal mieux placée que moi pour savoir comment il va.

MADELEINE. Je suis pas sûre. J'ai l'impression d'être moi-même assez désorientée...

ISABELLE. Écoute, euh... Je comprends que ça doit être difficile par moments...

MADELEINE. Par moments?

ISABELLE. Tu comprends ce que je veux dire. *(Madeleine fusille Isabelle du regard.)* Ce que j'essaye de te dire, c'est que... si t'as besoin de me le laisser une fois de temps en temps – je sais pas, on pourrait s'arranger… Tu pourrais me le laisser… une fin de semaine, euh, à chaque mois, genre… Si ça peut t'aider.

MADELEINE. Je reviendrai pas, Isabelle.

ISABELLE. Comment, tu reviendras pas?

MADELEINE. Je ramènerai pas ton père avec moi.

Isabelle est sous le choc.

ISABELLE. Attends. Attends, attends, attends… Attends, là… C'est normal – tu capotes – c'est correct. Tu m'as dit que le médecin t'avait dit que c'était difficile pour le conjoint – je me souviens, tu m'as dit ça : que c'était plus difficile pour le conjoint que pour le malade! C'est juste normal, ce qui se passe… T'as un down, t'as le droit d'avoir un down. Si t'as besoin d'une semaine de plus, écoute, je vais m'arranger avec Patrick pis euh, on va t'en donner, une semaine… Oké? C'est ça qu'on va faire : on va te donner une semaine de plus! Tu vas aller avec Jocelyne, je sais pas, t'écraser sur une plage au Club Med. Oui! C'est bon, ça! Pis tu vas te payer du bon temps, tu te soûleras, tu danseras «collé-collé» avec des G.O. si il faut…

MADELEINE. Arrête.

ISABELLE. Quoi? Je pense que t'as le droit de te payer du bon temps… Je veux dire, t'es pas malade, toi. Faut que tu penses à toi, si tu penses pas à toi, tu…

MADELEINE. J'ai rencontré un autre homme.

ISABELLE. Quoi?

MADELEINE. En fin de semaine, j'avais rendez-vous. Avec… quelqu'un.

ISABELLE. Quelqu'un?

MADELEINE. Un autre homme.

ISABELLE. …

MADELEINE. Pis, c'est ça… Ça s'est bien passé.

ISABELLE. C'est quoi, là? Tu nous as laissé papa pour aller voir un autre homme en cachette?

MADELEINE. Fais pas semblant de tomber des nues.

ISABELLE. Je suis supposée trouver ça normal? Faut que je te félicite, peut-être?

MADELEINE. Ton père et moi, ça fonctionne pus depuis longtemps. Tu le sais très bien.

ISABELLE. T'es complètement virée sur le top! T'es sérieuse, là? Tu vas le câlisser là!

MADELEINE. Tu viens de me dire qu'il fallait que je pense à moi!

ISABELLE. Je t'ai dit de partir une semaine! Pas de partir pour toujours, sacrament! Qu'est-ce qu'il va devenir, papa, si t'es pas là?

MADELEINE. T'es pas obligée de t'en occuper.

ISABELLE. Qu'est-ce que tu veux dire?

MADELEINE. Je veux pas te forcer à…

ISABELLE. Tu veux qu'on le place, c'est ça?

MADELEINE. Je veux pas rien t'imposer. Si tu penses que…

ISABELLE. Fuck you! C'est quoi, là? Tout d'un coup, c'est rendu ma responsabilité? C'est moi qui va prendre la décision de le placer! C'est ça?

MADELEINE. J'ai pas été plus là pour ma mère quand elle a eu son cancer. Je peux comprendre.

ISABELLE. Hey! C'est ton mari! C'est toi qui as décidé de te marier avec cet homme-là! Ça fait que si tu décides de le placer, c'est ta décision à toi, oké?

MADELEINE. C'est ton père. Il me semble que ça te regarde un peu, quand même!

ISABELLE. Si t'avais tant que ça envie de le laisser, il aurait peut-être fallu que tu y penses avant! Tu vois pas qu'il est trop tard? Qu'est-ce qu'il va devenir si t'es pas là? Hein? Attends au moins qu'il te reconnaisse pus avant de le sacrer là!

MADELEINE. J'ai juste envie qu'il meure… Peux-tu comprendre? J'ai juste hâte qu'il crève!

Long silence. Patrick entre dans la pièce en compagnie d'Édouard.

PATRICK, *à Édouard.* Regardez un peu qui c'est qui est là!

ÉDOUARD, *à Madeleine, heureux de la voir.* Où est-ce que t'étais?

12.

Madeleine et Édouard sont seuls, debout, face à face. Madeleine remet une valise à Édouard.

MADELEINE. Je t'ai préparé une valise…

ÉDOUARD. On s'en va? *(Madeleine n'ose pas répondre.)* C'est une bonne idée. Ça va nous faire du bien de bouger.

MADELEINE. Édouard…

ÉDOUARD. La seule chose que je voudrais éviter à tout prix, c'est la tournée des destinations mythiques qu'on a visitées dans notre vie… J'aurais l'impression d'être un vieux chanteur rock qui fait sa tournée d'adieu…

MADELEINE. La valise, c'est pour ici.

ÉDOUARD. Pour ici?

MADELEINE. Pour toi. Ici.

ÉDOUARD. Oké. Tu me laisses ici.

MADELEINE. C'est ça, oui.

ÉDOUARD. Tu pars… combien de temps?

MADELEINE. Je sais pas.

ÉDOUARD. Quelques jours? Une semaine?

MADELEINE. Ça va bien aller. Isabelle et Patrick vont s'occuper de toi.

ÉDOUARD. Oké. C'est le vrai départ.

MADELEINE. Je vais revenir te voir. Tu vas avoir besoin de plus de vêtements. Pis je t'apporterai des livres. Tu vas sûrement avoir envie d'avoir tes livres près de toi.

ÉDOUARD. T'as raison. Je veux dire, de partir.

MADELEINE. Je sais pas si j'ai raison.

ÉDOUARD. J'imagine qu'à ta place je ferais la même chose.

MADELEINE. Dis pas ça. Tu sais pas.

ÉDOUARD. Je serais même probablement parti plus vite que toi. Je me serais sauvé en courant… avec une de mes étudiantes…

MADELEINE. Je vais revenir te voir, espèce de macho.

ÉDOUARD. Si t'as le courage de partir, t'es peut-être mieux de pas revenir.

13.

Isabelle et Édouard sont à l'extérieur, près de la maison,
devant un feu de camp. Isabelle a un sac de guimauves à
ses pieds. Elle est en train d'en faire griller une. Patrick, qui
est étendu sur une chaise longue à côté, est endormi.

ISABELLE. C'est pas si bon que ça, les guimauves
grillées. C'est tout le temps calciné...

ÉDOUARD. C'est parce que t'as pas la bonne
technique. Faut pas mettre la guimauve directement
sur la flamme... Elle va prendre en feu. Faut
l'approcher des braises, pis être patient.

ISABELLE. C'est maintenant que tu te décides à me
montrer comment faire?

ÉDOUARD. Je t'ai déjà montré.

ISABELLE. Non, je pense pas, non!

ÉDOUARD. Je te l'ai dit plusieurs fois, quand t'étais
petite, mais tu préférais faire à ta tête...

ISABELLE. De toute façon, moi j'aime mieux ça
nature.

ÉDOUARD. Je sais pas si on peut utiliser le mot
« nature » quand on parle de guimauve...

ISABELLE. J'ai toujours été étonnée que vous nous
laissiez manger ça, toi pis maman. Vous étiez tellement
stricts sur ce qu'on mangeait. Fallait que les céréales

soient bonnes pour la santé, qu'on mange du pain au blé entier – on était les seuls à l'époque, on faisait rire de nous autres – on avait pas le droit d'écouter le canal dix, en plus !

ÉDOUARD. Ç'a donné un bon résultat, aussi. T'es une fille brillante, intelligente, en santé…

ISABELLE. Même si tu nous as laissés manger des guimauves complètement calcinées…

Léger flottement. On regarde le feu qui crépite.

ÉDOUARD. Tu sais que ta mère et moi, on a été invités à l'émission de ton meilleur…

ISABELLE. Oui, je sais, papa…

ÉDOUARD. J'ai l'impression que ça serait mieux que je la fasse sans ta mère, l'entrevue. Pas parce que je pense qu'elle est pas capable. C'est pas ça, là. Mais ta mère a jamais été à l'aise avec ça, les caméras – être le centre de l'attention, c'est pas quelque chose qu'elle aime. Même quand on essaye de la prendre en photo – tu le sais, c'est quasiment impossible de la prendre en photo, alors, imagine comment elle va se sentir. Surtout que tu le sais, dans ces contextes-là, j'ai tendance à m'emballer, un peu. Je vais me mettre à parler, pis là, ta mère sera pas capable de placer un mot – elle va être en carafe, à côté de moi, comme une belle dinde…

ISABELLE. Papa. Vous l'avez déjà faite, l'entrevue.

ÉDOUARD. Quoi ?

ISABELLE. L'entrevue. C'est fait. Vous l'avez faite.

ÉDOUARD. Ah oui ?

ISABELLE. Oui.

ÉDOUARD. Tu veux dire… Avec ta mère? Ta mère était là?

ISABELLE. Oui… Maman était là.

ÉDOUARD. Ah, mon Dieu, oké… Euh… Comment ç'a été?

ISABELLE. Ç'a bien été.

ÉDOUARD. Ç'a bien été?

ISABELLE. Oui.

ÉDOUARD, *s'impatientant.* C'est tout? Ça te tente pas d'élaborer, un peu? Je veux dire – tu le sais que je me souviens de rien! Tu veux que je devienne complètement paranoïaque ou quoi? Aide-moi donc, un peu! J'ai-tu fait un fou de moi? J'ai-tu passé l'émission à radoter comme un vieux sénile?

ISABELLE. T'étais parfait, papa! Ç'a bien été. Je vois pas ce que je pourrais dire de plus!

ÉDOUARD. Il s'est passé quelque chose. Je le sens, tu me caches des choses. Il s'est passé quelque chose, hein?

ISABELLE, *perdant patience à son tour.* Écoute, papa! T'es allé à l'émission, maman était là, ça s'est passé exactement comme tu viens de me le dire : t'as parlé, t'as pris toute la place, t'étais flamboyant, t'as donné un maudit bon show pis maman a eu l'air d'une maudite belle dinde, oké? La cote d'écoute a été super bonne, le diffuseur est content, le producteur est content, le public est content, les chroniqueurs ont fait des beaux papiers, si tu veux, va voir sur twitter – sur le compte twitter de l'émission – pis tu vas voir, tout le monde a trouvé que t'étais beau, que t'étais fin, que t'étais intelligent – que vous formiez un beau petit couple toi pis ta femme, ça fait que tout est parfait, oké !

Un temps.

ÉDOUARD. Je vois pas pourquoi tu te mets dans cet état-là.

ISABELLE. Je m'excuse… Je suis un peu à boutte, là.

ÉDOUARD. Ta mère est où, là ?

ISABELLE. Maman… *(Elle réfléchit un bref instant à sa réponse.)* Maman avait besoin d'un petit répit. Elle te laisse ici pour deux-trois jours…

ÉDOUARD. C'est-tu si difficile que ça de s'occuper de moi ?

ISABELLE. Ben non… Elle est juste un peu fatiguée. Elle est partie voir son amie Jocelyne.

ÉDOUARD. Elles vont aller magasiner ? Ta mère s'ennuyait d'aller magasiner, c'est ça ?

ISABELLE. C'est ça, oui…

ÉDOUARD. Bon bien. C'est une bonne nouvelle. Ça veut dire que ça va nous donner l'occasion de passer du temps ensemble. Me semble qu'on se voit presque pus, toi pis moi…

Isabelle tente un sourire.

ISABELLE. Je pars demain. J'ai une autre affectation. C'est Patrick qui va s'occuper de toi.

ÉDOUARD. Patrick…

ISABELLE. Je resterais ben avec toi, mais euh… Il est en arrêt de travail. C'est plus logique que ça soit lui qui reste. Mais je vais revenir pis on va avoir du temps ensemble.

ÉDOUARD, *avec un humour noir.* Pars pas trop longtemps… Sinon, je te reconnaîtrai peut-être pas quand tu vas revenir.

14.

Édouard est installé sur un divan. Isabelle se rend à sa vieille table tournante. Elle prend l'aiguille et la dépose sur un 45 tours déjà installé sur la table. Musique. On entend un vieux succès de Marc Gélinas : « Tu te souviendras de moi. » Édouard écoute, perdu dans son monde. Par moments, il chante quelques paroles de la chanson.

« Tu te souviendras de moi »

À l'approche de l'été
Quand fleurira le muguet
Tu te souviendras de moi
Lorsque le soleil de mai
Réchauffera tes regrets
Tu te souviendras de moi
Jamais la belle saison
Ne te donnera raison
De te séparer de moi
Même les oiseaux qui chantent
Te diront tu es méchante
Tu te souviendras de moi

Oh oh oh oh
Que la vie est triste
Oh oh oh oh
Quand tu n'es pas là

Patrick entre dans la pièce et prend la place d'Isabelle, qui se retire.

À l'approche de l'automne
Si tu as froid tu frissonnes

Tu te souviendras de moi
Si la nature se déchaîne
Ou si tu as de la peine
Tu te souviendras de moi
Va rêver sous le vieux chêne
Où j'ai écrit Madeleine
Je n'aime que toi
Et en revoyant cet arbre
Si ton cœur n'est pas de marbre
Tu te souviendras de moi

Oh oh oh oh
Que la vie est triste
Oh oh oh oh
Quand tu n'es pas là

Cette fois, c'est Bérénice qui entre et s'installe face à Édouard.
Patrick quitte la pièce.

Un nouveau printemps se lève
Monte la nouvelle sève
Soudain renaissent les bois
Mon cœur tracé au couteau
Sur notre arbre est bien plus gros
Oui que la dernière fois
Si ton cœur fond comme glace
Tu auras toujours ta place
Je l'avais gardée pour toi
Mais je t'en prie reviens vite
J'ai trop mal quand tu me quittes
Je ne peux vivre sans toi

Oh oh oh oh
Que la vie est triste
Oh oh oh oh
Quand tu n'es pas là
Oh oh oh oh

La vie sera douce
Oh oh oh oh
Quand tu reviendras
Tu te souviendras de moi

La chanson est terminée. Léger flottement. Soudainement, Édouard semble revenir à la réalité. Il aperçoit Bérénice devant lui.

15.

Bérénice et Édouard.

ÉDOUARD. Comment tu t'appelles, déjà ?

BÉRÉNICE. Bérénice.

ÉDOUARD. Bérénice ?

BÉRÉNICE. La jeune fille à la chevelure rouge qui vous traite comme un débile léger. Ça vous dit rien ?

ÉDOUARD. C'est drôle... Tu portes le même nom que ma fille.

BÉRÉNICE, *comme si elle parlait à un attardé.* Non, monsieur Beauchemin. Votre fille, elle s'appelle *Isabelle.*

ÉDOUARD. Je suis pas complètement sénile ! Je le sais qu'Isabelle s'appelle Isabelle ! *(Pause.)* J'ai une autre fille... Nathalie.

BÉRÉNICE. Nathalie. Oké. Ça va pas bien, là ! Moi, c'est Bé-ré-nice.

ÉDOUARD. Moi j'aurais préféré qu'on l'appelle Bérénice, mais sa mère trouvait ça trop original. Ça fait qu'on a opté pour Nathalie... Mais son deuxième prénom sur son baptistère, c'est Bérénice. Ce qui fait que quand on était tout seuls, elle et moi, des fois, je l'appelais comme ça : Bérénice...

BÉRÉNICE. C'est quoi, là ? C'est un truc que vous avez pour cruiser vos étudiantes ?

ÉDOUARD. Ah. T'es une de mes étudiantes?

Bérénice sourit à Édouard et lui fait signe que non.

BÉRÉNICE. Et pourquoi elle vient pas vous voir, votre Bérénice?

ÉDOUARD. Elle peut pas.

BÉRÉNICE. Moi, si mon père était... dans votre situation, je serais là. Même si il me fait souvent chier. Je serais avec vous.

ÉDOUARD. C'est compliqué.

BÉRÉNICE. Vous vous êtes chicanés?

ÉDOUARD. C'est plus compliqué que ça.

BÉRÉNICE. Ce que je comprends, c'est que vous aimeriez ça qu'elle soit là.

Long temps.

ÉDOUARD. Elle est née en 77.

BÉRÉNICE. Vous avez quand même pas oublié sa date de fête?

ÉDOUARD. La date importante, en ce qui concerne Bérénice, c'est sa date de conception... Elle a été conçue le 15 novembre 1976. La nuit qui a suivi la victoire de René Lévesque et du Parti québécois... On était revenus du centre Paul-Sauvé, complètement euphoriques... C'était tellement électrique ce qui se passait ce soir-là, j'ai l'impression que tout le monde qui était au centre Paul-Sauvé est rentré à la maison pour faire l'amour... Je sais pas si tu peux comprendre ça : on avait l'impression d'être à un tournant – d'être témoins d'une page d'Histoire qui était en train de s'écrire...

BÉRÉNICE. Vous avez raison. La politique comme aphrodisiaque, je pense que c'est quelque chose que je peux difficilement comprendre…

ÉDOUARD. Le paysage politique a pas toujours été aussi désolant. Tu sais c'est qui, René Lévesque, au moins ?

BÉRÉNICE. Vaguement. J'en ai déjà entendu parler. Je sais qu'il a été premier ministre du Québec – qu'il fumait beaucoup – qu'il fumait tout le temps, en fait – qu'il était petit pis qu'il était pratiquement chauve – mais qu'il se ramenait une couette sur le dessus de la tête pour faire semblant qu'il avait encore des cheveux…

ÉDOUARD. C'est effrayant ! C'est tout ce que t'as retenu de René Lévesque ?

BÉRÉNICE. C'est pas de ma faute si les profs m'ont rien appris.

ÉDOUARD. Apprendre, c'est la job des étudiants, pas des profs ! Le référendum de 80, ça te dit quelque chose, au moins ?

BÉRÉNICE. Je suis née en 96… Si ça se trouve, moi, mes parents m'ont conçue au lendemain du référendum de 95… J'imagine que c'était pas mal moins euphorique que vous, comme baise… Ça fait que le référendum de 80, je sais que c'est le « Non » qui a gagné, mais c'est à peu près tout… Ah oui, je sais aussi que la question était compliquée, ç'a l'air, mais ça, c'est parce que j'ai vu votre entrevue que je le sais…

ÉDOUARD. T'as sûrement déjà entendu la fameuse phrase de Lévesque ? « Si je vous ai bien compris, vous êtes en train de dire à la prochaine fois… »

BÉRÉNICE. Oui, ça me dit quelque chose…

ÉDOUARD. Les gens arrêtaient pas de l'applaudir. C'était une ovation extraordinaire. Mais il avait perdu. De façon claire, nette et précise. Et je pense qu'il mesurait mieux que quiconque ce que cette défaite-là voulait dire. Qu'on avait manqué notre rendez-vous avec l'Histoire… Lui, en tout cas, avait raté le sien. Il devait le sentir qu'il verrait jamais ça de son vivant. Mais devant l'amphithéâtre en délire, il s'est dit qu'il avait pas le choix. Il devait nous laisser sur une note d'espoir… Mais quand on la réécoute avec attention, sa fameuse phrase, on entend le doute. Ça commence par «si je vous ai bien compris»… par une incertitude. Comme si il nous disait : je suis pas certain que c'est ce que vous êtes en train de me dire. En fait, je pense qu'il savait très bien que c'était pas ça qu'on était en train de lui dire. On voyait sa douleur. Pis on était honteux de pas avoir été à la hauteur de ce bonhomme-là… En l'applaudissant comme on l'applaudissait, on était pas en train de lui dire «la prochaine fois, on va gagner…» On était juste en train de s'excuser d'avoir échoué.

BÉRÉNICE. Vous, vous pensez que ça va se faire ou pas ?

ÉDOUARD. Pour être honnête, je ressens moins le besoin que ça se fasse… *(Pause.)* Ma Bérénice s'est enlevé la vie le jour de ses dix-neuf ans. C'est pour ça qu'elle vient pas me voir.

BÉRÉNICE. Je suis désolée.

ÉDOUARD. Tu vois, ça c'est quelque chose que j'ai passé beaucoup de temps et d'énergie à essayer d'oublier… *(Pause.)* Tu me fais penser à elle. C'était une idéaliste, comme toi.

BÉRÉNICE. Comment vous pouvez dire ça? Vous me connaissez pas…

ÉDOUARD. Les gens que la réalité déçoit sont la plupart du temps des idéalistes.

BÉRÉNICE. Je suis peut-être idéaliste… mais je le suis sûrement pas autant que vous.

Édouard regarde longuement Bérénice, submergé par l'émotion.

ÉDOUARD. Je te regarde, là. Tu serais pas ma fille, par hasard?

BÉRÉNICE, *après une hésitation.* Oui… C'est moi. Nathalie…

ÉDOUARD. Bérénice, tu veux dire…

BÉRÉNICE. Oui. C'est ça : Bérénice.

16.

Édouard erre un moment, complètement perdu, l'air de se demander où il est. Il enfile son manteau. Bérénice entre en transportant une boîte de carton dans ses bras. Sur la boîte, on peut lire : « VÊTEMENTS À DONNER. NATHALIE. »

BÉRÉNICE. Enlève ton manteau ! C'est beau, je suis ici.

ÉDOUARD. C'est ça. Je me demandais où t'étais…

Il enlève son manteau.

BÉRÉNICE. J'ai trouvé ça dans le grenier…

ÉDOUARD. Quoi ?

BÉRÉNICE. Tu voulais donner mes vêtements ?

ÉDOUARD. C'est ta mère qui… C'était où ?

BÉRÉNICE. Dans le grenier. C'est toi qui m'as dit que c'était là.

ÉDOUARD. Ah oui ? Oké… *(Bérénice dépose la boîte, l'ouvre et commence à fouiller dedans.)* J'ai réfléchi. Je pense que je sais pourquoi je suis ici…

BÉRÉNICE. Quoi ?

ÉDOUARD. Je sais pourquoi je suis ici…

BÉRÉNICE. Wow ! Il est vraiment trop hot, ce chandail-là.

ÉDOUARD. Ta mère a décidé de me cacher. Elle pense que je suis rendu trop incohérent. C'est comme pour l'université. Je pourrais continuer à enseigner. Je me souviens de la matière. J'ai toujours eu une excellente mémoire. Je me souviens des dates. Avec mes notes de cours devant moi, je pourrais le faire.

Bérénice a enfilé un des chandails de Nathalie.

BÉRÉNICE. Comment tu me trouves ?

ÉDOUARD. Mon Dieu… Ton chandail… Ton mautadit chandail…

Il regarde Bérénice. Il s'assombrit, l'air un peu confus.

BÉRÉNICE. Ça va ?

ÉDOUARD. Je pense pas, non…

BÉRÉNICE. Qu'est-ce qu'y a ?

ÉDOUARD. Comment ça se fait que t'es là ? T'es pas supposée pouvoir être là…

BÉRÉNICE. Tu voulais me revoir. C'est pour ça que je suis là.

ÉDOUARD. Ça peut pas être aussi simple…

Bérénice s'approche et lui prend la main.

BÉRÉNICE. Faut le voir comme un rêve. Vous savez – je veux dire, tu sais, papa – quand on rêve, des fois, le rêve est trop trippant. On sait que c'est juste un rêve, qu'il faudrait se réveiller – mais on veut rester dedans. On veut juste rester endormi pour pouvoir le continuer… même si on sait que c'est juste un rêve. *(Pause.)* Prends-moi comme ça. Comme un rêve. Oké ?

ÉDOUARD. Qu'est-ce que je dois faire ?

BÉRÉNICE. Juste en profiter.

ÉDOUARD. Je peux pas en profiter. Tu vas repartir. Tu seras pus là.

BÉRÉNICE. Je suis là, devant toi, maintenant, papa.

Long temps. Édouard regarde Bérénice.

ÉDOUARD. Je sais pas quoi te dire. Ça fait tellement longtemps que… J'ai tellement souvent pensé à ce que je te dirais si… *(Long silence.)* Je m'excuse. Je tiens à m'excuser. Je m'excuse d'avoir essayé de t'oublier. C'est la plus grosse connerie que j'ai fait de ma vie. J'ai tellement essayé d'arrêter de penser à toi.

BÉRÉNICE. Ça te faisait mal. C'est juste normal.

ÉDOUARD. Je me souviens de ce chandail-là. C'était *ton* chandail. Tu le portais tout le temps. Ça me tombait sur les nerfs. Je me disais, les gens vont penser qu'on a pas les moyens de t'acheter du linge… Eh qu'on est imbécile, des fois… On a soupé ensemble ce soir-là. Je me souviens, on a soupé ensemble. Juste toi pis moi. Ta sœur et ta mère étaient pas là. J'avais été acheter un pâté au poulet à la boulangerie Chez Paul. Tu raffolais pas de ça, le pâté au poulet. À chaque fois, je te disais, ils font du bon pâté au poulet, Chez Paul. Comme si à force de te le répéter, le pâté au poulet de la boulangerie Chez Paul allait devenir ton mets préféré. *(Pause.)* Le plus con, après, je m'en suis voulu. Ton dernier repas a été un pâté au poulet que t'as dû trouver ordinaire. *(Long temps. Édouard regarde sa «fille». Bérénice tente un sourire, visiblement émue.)* Peux-tu juste me dire pourquoi t'es partie?

BÉRÉNICE. Écris-le dans ton carnet. C'était pas de ta faute. Ni la faute à maman. J'étais juste mal dans ma peau. J'arrivais pas à me trouver bonne. J'étais persuadée que je valais rien. Que je pouvais pas être utile. J'avais juste pas rencontré quelqu'un qui aurait pu avoir besoin de moi. Que j'aurais pu aider. Qui aurait pu m'aider à redonner du sens à ma vie en me laissant l'aider.

ÉDOUARD. Attends… Dis pus rien, je… J'ai pas eu le temps de noter.

Il sort son stylo et ouvre son carnet.

BÉRÉNICE. Oké.

Édouard hésite, penché sur son carnet, le stylo à la main… Puis, il s'impatiente.

ÉDOUARD. Je me souviens pas! Je me souviens déjà pus de ce que tu m'as dit! Câlice de sacrament d'ostie!

Bérénice s'approche d'Édouard et l'enlace pour le réconforter.

BÉRÉNICE. Choque-toi pas. C'est correct, je vais te l'écrire. Je m'en souviens, moi.

17.

Patrick est seul, il discute au téléphone avec Bérénice.

PATRICK. À quoi tu joues? J'ai lu son carnet. C'est toi qui as écrit dedans? (…) Hey! Niaise-moi pas! Je l'ai devant les yeux. *(Lisant.)* «C'est pas de ta faute si je suis morte. J'étais mal dans ma peau… Gna, gna, gna… Ta fille qui t'aime, Bérénice»! C'est toi qui as écrit ça? Tu trouves pas qu'il a assez de problèmes avec sa tête comme ça? (…) Qu'est-ce que tu racontes? Isabelle a pas de sœur qui s'est… *(Isabelle entre avec Édouard. Ils sont tous les deux soûls et le vin les a rendus très joyeux.)* Écoute. Faut que je te laisse…

Patrick raccroche et se tourne vers Isabelle.

ISABELLE. T'es pas parti, toi? Je pensais que t'en profiterais pour aller jouer aux cartes avec tes chums…

PATRICK. No-non. J'avais le goût d'une soirée tranquille.

ISABELLE. Ben nous, on s'est un peu énervés sur le vin… Ce qui fait qu'on est revenus en taxi!

ÉDOUARD, *avec humour.* Ah oui? On a-tu bu du vin? Je me souviens pas de ça, moi là!

ISABELLE, *avec humour, elle aussi.* C'est ça, le problème, avec ta «maladie»… Tu te souviens pas que t'as pris un verre… Fait que t'en prends un deuxième, pis un troisième… Sauf que pour toi, c'est toujours le premier! Pis moi, belle conne, comme je veux pas que tu t'en rendes compte que tu te souviens de rien – je veux pas te faire souffrir, t'sais – je ferme ma yeule pis je bois!

ÉDOUARD. Pis là, vide la bouteille. Le serveur vient chercher la bouteille. Là, moi, regarde sur la table : pas de bouteille sur la table! Je me dis merde : sacrilège. On est dans un bon restaurant, avec un bon repas, mais on a pas de vin! Commande une bouteille!

ISABELLE. Et ça fait comme une inondation de vin dans mon corps!

Édouard et Isabelle ricanent ensemble. Patrick les regarde, l'air contrarié.

PATRICK, *froidement.* Vous avez bien mangé? C'était bon, la bouffe?

ISABELLE. Qu'est-ce que t'as mangé, papa?

ÉDOUARD. Euh… Attends, attends… Où est-ce qu'on est allés, donc? Au Théodore ou bien à l'Alexandrin?

ISABELLE. Bon! Il se souvient même pas du restaurant… La prochaine fois, je vais t'amener chez McDo, ça va me coûter moins cher!

ÉDOUARD. Pis surtout, ils servent pas de vin, on va être moins soûls!

ISABELLE. No-non! Ça nous prend notre vin! Moi, en tout cas, ça me prend du vin… Parce que sinon, mon maudit problème si je bois pas du vin, c'est que j'ai de la misère à être dans le moment présent… T'sais? Le mautadit moment présent à marde! On capote-tu assez là-dessus dans la vie, le mautadit moment présent… Mais là, là, je suis soûle, moi là, je peux pas conduire ma voiture, mais c'est pas grave : parce que je suis dans le moment présent avec toi, papa... Mon beau papa que j'aime, même si bien souvent, je te l'avoue, tu me tombes sur les nerfs...

PATRICK. Est-ce que c'est vrai que t'as une sœur qui s'est suicidée? *(Isabelle, dégrisant d'un seul coup, se tourne vers Patrick et le dévisage. Silence embarrassant.)* J'ai lu ça dans le carnet de ton père. Il parle de ta sœur. Qui se serait tuée à dix-neuf ans.

ISABELLE. Tu... Comment tu... C'est ça que tu fais quand je suis pas là? Tu fouilles dans les affaires de mon père?

PATRICK. Comment ça se fait que tu m'en as jamais parlé?

ISABELLE. Je peux savoir en quoi ça te regarde?

PATRICK. Je sais pas? Peut-être parce que je suis ton conjoint? Peut-être que ça pourrait m'aider à comprendre certaines choses par rapport à toi...

ISABELLE. Comme quoi? Qu'est-ce que t'as tant à comprendre sur moi? C'est pas moi qui a fait un burnout, ici! C'est pas moi qui est pas capable de me grouiller le cul pour me trouver une job...

PATRICK. Comprendre quoi, tu dis? Comprendre pourquoi t'es pas capable d'avoir de la compassion pour la souffrance des autres!

Patrick quitte la pièce.

ISABELLE, *criant pour Patrick.* Ben oui! Sauve-toi! C'est ça, ton estie d'attitude dans la vie, toi... T'as un problème: tu te sauves, tu fais de la fuite – tu te dis si j'y pense pas, ça existe pas! Tu fais tout ce que tu peux pour l'oublier... Mais crois-moi, un moment donné, ça va te revoler dans face!

Léger flottement. Isabelle se tourne vers Édouard avec un air désolé. Ce dernier semble malheureux.

ÉDOUARD. Madeleine est où, là? Je pense que je vais aller la rejoindre, oké? Je vous dérangerai pus, là. Je vais aller la rejoindre.

18.

Madeleine est assise avec Édouard, qui est couché la tête sur ses cuisses. Il se réveille en sursaut. Il regarde Madeleine, étonné de la voir.

ÉDOUARD. Ah... T'es là?

MADELEINE. Oui...

ÉDOUARD. Combien de temps j'ai dormi?

MADELEINE. Je sais pas. J'ai pas regardé l'heure.

ÉDOUARD. J'ai l'impression que ça fait une éternité que je dors...

MADELEINE. T'es pas tout à fait réveillé. T'as dû faire un mauvais rêve...

ÉDOUARD. C'était pas un mauvais rêve. On était étendus ici, comme ça. Tu me flattais les cheveux. Tu devais avoir vingt ans...

MADELEINE. J'ai toujours aimé ça te flatter les cheveux.

Autre temps. Il lui sourit.

ÉDOUARD. Tu te souviens de notre chanson?

MADELEINE. Notre chanson?

ÉDOUARD. Oui... Notre chanson.

MADELEINE. Qu'est-ce que tu racontes? On a pas de chanson...

ÉDOUARD. Quand on s'est connus. On disait que c'était comme notre histoire… Ça parlait de Madeleine, ton nom était dans la chanson.

MADELEINE. Voyons! Tu la trouvais ridicule. T'arrêtais pas de la chanter en déconnant.

ÉDOUARD. J'avais même été écrire ton nom sur un chêne…

MADELEINE. No-non. T'avais pas trouvé de chêne…

ÉDOUARD. J'avais gravé ton nom, au couteau, tu te souviens?

MADELEINE. C'était pas sur un chêne – on avait pas trouvé de chêne – c'est sur un tremble que t'avais gravé ça.

ÉDOUARD. « Madeleine, je n'aime que toi »… Comme dans la chanson, j'avais gravé ça. Je me souviens que j'avais fait ça.

MADELEINE. Mais là, Édouard. C'était juste pour rire, non? Pour te moquer de la chanson.

ÉDOUARD. C'était pas pour rire de la chanson. C'était pour te faire rire, toi.

MADELEINE, *avec légèreté.* Tu vas pas me faire accroire que tu trouves que c'est une grande chanson, quand même…

Un temps. Édouard s'assombrit.

ÉDOUARD. Qu'est-ce qui s'est passé, Madeleine?

MADELEINE. Qu'est-ce que tu veux dire?

ÉDOUARD. Qu'est-ce qui s'est passé?

MADELEINE. Tu sais très bien ce qui s'est passé.

Elle sourit tristement à Édouard. Ils se regardent longuement avec une compassion mutuelle. Madeleine joue dans les cheveux d'Édouard.

ÉDOUARD. Je suis content que tu sois là. Maintenant.

MADELEINE. Je suis contente d'être là.

Isabelle entre en compagnie de Patrick. Elle jette un regard de reproches à Madeleine qui, mal à l'aise, cesse de flatter les cheveux d'Édouard.

ISABELLE, *à Madeleine*. Tu trouves pas qu'il est assez mélangé de même?

MADELEINE. C'est toi qui voulais que je vienne…

ISABELLE. À ce que je vois, je me suis trompée!

Frustrée, elle sort de la pièce.

MADELEINE, *criant pour Isabelle*. Ça lui fait du bien! Y a pas de mal à lui faire du bien, non?

Patrick a un regard compatissant pour Madeleine.

PATRICK. Je suis désolé.

Il sort.

ÉDOUARD. C'était qui, le gars, avec Isabelle?

MADELEINE. Personne d'important.

Pause. Elle recommence à lui flatter les cheveux.

ÉDOUARD. Penses-tu qu'on peut le retrouver?

MADELEINE. Qui, ça?

ÉDOUARD. L'arbre. Avec nos deux noms gravés dessus.

MADELEINE. On va aller dormir. On va aller se coucher en cuillère. Ça va te faire du bien.

Ils se lèvent.

ÉDOUARD. C'est pas juste. Je pourrai jamais m'occuper de toi, moi, quand ça va être à ton tour d'être malade.

19.

Isabelle, Patrick et Édouard jouent aux cartes.

PATRICK, *déposant une carte au centre de la table.* Bon bien… J'y vais avec l'atout. *(On attend qu'Édouard joue.)* Édouard?

ÉDOUARD. Mmmm?

ISABELLE. C'est à toi de jouer, papa.

ÉDOUARD. À moi?

ISABELLE. Oui, papa. C'est à toi.

ÉDOUARD. Ah. Ah bon. Oui…

PATRICK. C'est l'atout qui est demandé.

ÉDOUARD. Oui, oui… Trèfle atout. Ça va… *(Il regarde ses cartes un long moment, confus.)* S'cusez-moi… À quoi on joue, déjà?

ISABELLE, *jetant son paquet sur la table.* C'est ridicule…

PATRICK. Isabelle…

ÉDOUARD. Dites-moi juste à quoi on joue, ça va être correct…

ISABELLE. Ça sert à rien de jouer, là! Ça fait trois fois qu'il nous demande à quoi on joue!

PATRICK, *à Isabelle.* Donne-lui une chance…

ISABELLE. Pour jouer aux cartes, faut être capable de suivre, un peu !

ÉDOUARD. Me semble que je suis pas si pire… Si on regarde le score…

ISABELLE. Tantôt, à l'autre brasse, quand t'as joué ton roi de cœur, si t'avais été le moindrement attentif, t'aurais su que Patrick en avait pus de cœur… Là, il t'a pas coupé – pour te laisser une chance – fait que le score, là, fie-toi pas trop là-dessus…

PATRICK. Je lui ai pas laissé de chance. J'étais distrait. Je me suis pas rendu compte…

ISABELLE, *sarcastique.* Franchement, Patrick ! Un grand joueur de poker comme toi !

ÉDOUARD. Ah c'est ça ? On joue au poker ? Est-ce qu'on joue à l'argent ?

ISABELLE. Ben non ! On joue pas au poker ! De toute façon, on joue pus à rien : j'arrête, moi !

PATRICK. Isa… Fais un effort, sacrament. On s'en fout du score. On s'en fout du jeu… L'important, c'est d'avoir du plaisir ensemble, non ?

ISABELLE. Je m'excuse d'être la seule à trouver ça absurde, mais je suis pas capable !

ÉDOUARD. Je comprends pas. T'as toujours aimé ça jouer aux cartes en famille, non ?

ISABELLE. T'es peut-être pas au courant, mais t'en as pus, de famille, papa ! Elle existe pus, ta belle petite famille ! Nathalie s'est suicidée pis ta femme t'a câlicé là pour aller baiser avec un homme qu'elle a rencontré sur Facebook, imagine-toi donc ! Pis le beau Michel, « ton gendre préféré » – tu l'aimais, han, ton beau Michel – ben lui aussi a sacré son camp pour refaire sa vie avec une petite fille de vingt-deux ans ! Ça fait qu'il reste pus rien de très réjouissant dans ton portrait de famille !

ÉDOUARD. C'est quoi cette histoire-là, de Facebook ?

ISABELLE. Ah… Je vois pas pourquoi je te parle de ça. Ça sert tellement à rien, là !

PATRICK, *à Isabelle*. Ben oui ! Franchement !

ISABELLE. Je m'excuse… Ah ! Je suis tannée de m'excuser !

ÉDOUARD. Tu trouves ça lourd. Tu trouves ça lourd de passer du temps avec moi, c'est ça ?

Isabelle le regarde longuement. Elle lui sourit tristement.

ISABELLE. On a été souper au restaurant ensemble, y a pas longtemps. C'était super. On s'est mis à se souvenir de quand j'étais petite… De nos voyages en famille à Cape Cod. Je me suis sentie proche de toi. Comme je me suis rarement sentie proche de toi depuis des années… Je me disais, faut pas juste voir le négatif – je sais, c'est cliché : tout le monde dit ça, dans les pires épreuves, y a toujours des éléments positifs – je me disais : c'est quand même extraordinaire que la maladie permette ce rapprochement-là…

ÉDOUARD. Bon bien, tu vois. Si on est encore capables de passer du bon temps ensemble…

ISABELLE. Le lendemain matin… au déjeuner, je t'ai dit que j'avais trouvé ça super, notre souper en tête à tête… Tu m'as demandé de quoi je parlais… T'avais aucune idée de quoi je parlais… Ça m'est rentré dedans.

Long silence.

ÉDOUARD. Dis-moi pus des affaires de même, Isabelle. Je veux pus jamais que tu me dises des affaires de même.

ISABELLE. Je suis désolée, papa. Je sais pas comment dealer avec tout ça.

ÉDOUARD. Dans le fond, c'est à Nathalie que ta mère aurait dû me laisser.

Isabelle reçoit la réplique comme une gifle.

ISABELLE, *blessée, acquiesçant.* Ben oui. Évidemment. T'aurais été ben mieux avec elle. Elle aurait su comment t'aider, elle.

Résignée, elle se lève et se dirige vers la sortie.

PATRICK. Isabelle...

ISABELLE. Tu peux faire une bataille ou jouer à rouge ou noir avec lui, si tu veux... Je vais aller marcher.

PATRICK. Attends.

ISABELLE. Quoi? Comment tu veux que je rivalise avec une morte? Hein?

PATRICK. Tu sais très bien qu'il sait pus trop ce qu'il dit... Faut pas que tu capotes avec ça, là.

ISABELLE. Au contraire. Il a pus de filtre. C'est juste la vérité qui sort...

Elle regarde Patrick, qui n'arrive pas à argumenter. Elle sort. Patrick, las, hoche la tête en regardant Édouard, qui a l'air de se demander ce qui vient de se passer.

20.

Édouard est seul dans la pièce. Il est en train de noter quelque chose dans son carnet. On le sent fébrile. À l'arrière, Patrick et Bérénice, qui traîne son sac à dos, entrent. Ils restent à l'écart. Édouard, concentré sur ce qu'il écrit, ne remarque pas leur présence.

BÉRÉNICE. Me semblait que tu voulais pus que je le voie…

PATRICK. Il délire pas mal. Il a passé la nuit à te chercher… Je veux dire, à chercher… la sœur d'Isabelle. Il a passé la nuit à me dire qu'il avait des choses importantes à lui dire… Je me suis dit que ça lui ferait peut-être du bien de te voir.

BÉRÉNICE. Oké…

PATRICK. Mais, euh… Fais attention, oké ? Fais pas de conneries, là, hein ? Je pense qu'il a juste besoin de… ta présence. Mmm ?

BÉRÉNICE. C'est beau, là. Tu peux y aller. Ça va être correct.

PATRICK. Je laisse mon cellulaire ouvert, si y a quelque chose.

Bérénice lui fait signe que tout est sous contrôle. Patrick la regarde un peu tristement, puis il amorce un mouvement pour sortir.

BÉRÉNICE. P'pa.

PATRICK. Quoi?

BÉRÉNICE. Tu seras pas obligé de me payer. Je veux pas être payée, oké?

PATRICK. Oké.

Il sourit à sa fille puis il sort. Bérénice regarde un moment Édouard, qui continue d'écrire de manière fiévreuse... Elle s'approche, s'installe devant lui. Se sentant observé, Édouard cesse d'écrire et relève la tête, les yeux hagards, l'air perdu.

ÉDOUARD. Euh... Bonjour...

BÉRÉNICE. Salut.

ÉDOUARD. Est-ce que je te connais?

BÉRÉNICE. Vous me reconnaissez pas?

ÉDOUARD. T'es une de mes étudiantes?

BÉRÉNICE. Attendez...

Elle se penche sur son sac et en sort le chandail appartenant à Nathalie. Elle l'enfile. Édouard esquisse un sourire.

ÉDOUARD. Bérénice...

BÉRÉNICE. Salut, papa.

ÉDOUARD. Ça tombe bien que tu sois là!

BÉRÉNICE. Qu'est-ce qui se passe?

ÉDOUARD, *fébrile et intense.* J'étais en train de réfléchir. J'ai pris des notes dans mon carnet! Je sens que je mets le doigt sur quelque chose... As-tu une voiture?

BÉRÉNICE. Euh... Pas vraiment, non.

ÉDOUARD, *se levant.* Pas grave! On va prendre un taxi.

BÉRÉNICE. Attends, là! Pour aller où?

ÉDOUARD. Faudrait que j'arrange quelque chose avec les gens de la salle de nouvelles... Y a un jeune homme... Marc... Marc, euh... je me souviens pus de son nom de famille, mais je pense que si je lui montre mes notes, il pourrait peut-être être intéressé à faire une entrevue avec moi...

BÉRÉNICE. ... Une entrevue?

ÉDOUARD. Regarde. Tu peux jeter un coup d'œil...

Il donne son carnet à Bérénice. Elle y jette un œil.

BÉRÉNICE. Je veux pas vous décevoir... Mais j'ai pas l'impression que vous pouvez passer à la télé, comme ça, juste parce que vous avez quelque chose d'important à dire...

ÉDOUARD. Depuis quand tu me vouvoies, toi?

BÉRÉNICE. Je suis désolée, je...

ÉDOUARD, *agressif.* T'es bien ma fille, non? T'es ma fille ou t'es pas ma fille?

BÉRÉNICE. Oui, oui... S'cuse-moi, papa. C'est juste que...

ÉDOUARD. Tu trouves que ç'a pas de bon sens ce que j'ai écrit?

BÉRÉNICE. No-non... Ça va. C'est pas ça...

ÉDOUARD. Il faut que tu m'aides! Isabelle et ta mère voudront jamais que j'aille à la télé pour raconter quoi que ce soit! Elles aimeraient mieux que je me taise pis que je disparaisse...

BÉRÉNICE. ... Écoute, papa, je sais ce qu'on va faire. Installe-toi ici, là, sur le divan. *(Édouard obéit. Bérénice sort son ordinateur portable et l'installe devant Édouard.)*

On attendra pas après personne, papa. Oké? On va l'enregistrer pis le diffuser nous-mêmes, ton message…

ÉDOUARD. Nous-mêmes? Comment ça, nous-mêmes?

BÉRÉNICE. Je vais juste te partir ça… Tu vas parler, pour l'écran. On va te filmer pis après, on va aller mettre ça sur Internet…

ÉDOUARD. Ah oui? T'es capable de faire ça?

BÉRÉNICE. Y a rien de plus facile, là… Es-tu prêt?

ÉDOUARD. Mon carnet! Ça me prend mon carnet…

Bérénice remet le carnet à Édouard.

BÉRÉNICE. Oké. T'es prêt? Je pars ça, là. Dans cinq, quatre, trois, deux, un… zéro!

ÉDOUARD. C'est parti? Ça enregistre? *(Bérénice fait signe que oui.)* C'est en train de me filmer?

BÉRÉNICE. Vas-y. Parle.

ÉDOUARD. Bonjour… Mon nom est Édouard Beauchemin, et je suis atteint d'une maladie qui est en train de faire disparaître ce que je suis, qui est en train de me consumer, de digérer mon esprit et mes idées… Bientôt, même si mon corps sera encore en vie, j'aurai disparu. Et avant de disparaître, je voulais vous adresser ce message… *(À Bérénice.)* Est-ce que ça va?

BÉRÉNICE. Continue…

21.

Une projection sur le fond de la scène. Le visage d'Édouard, disproportionné, qui est en train de s'adresser à la caméra. Devant cette projection, tournés vers elle et regardant Édouard, on retrouve Isabelle, Patrick et Madeleine.

ÉDOUARD. Chaque jour, vous êtes exposés à une quantité monstrueuse d'informations. Vous êtes engloutis! Le nombre d'informations nouvelles, les images, les sons, les mots, vous plongent dans la confusion la plus totale... Chaque nouvelle idée chasse la précédente avant qu'elle ait eu le temps de se déposer en vous. Rien ne laisse de trace! On a beau vous informer des pires horreurs ou des idées les plus emballantes qui soient, ces idées vivent en vous à peine quelques minutes avant de laisser place à une autre information que vous pourrez juger capitale... et que vous aurez pourtant oubliée dans l'heure qui suit! Vous êtes extirpés du réel... Tout devient abstrait, conceptuel, relatif, sans valeur! Vous êtes prisonniers de l'éternel instant présent... Comme moi.

Le visage d'Édouard disparaît. Isabelle, Patrick et Madeleine s'observent un instant, l'air perplexe.

MADELEINE. Combien de personnes ont vu ça?

ISABELLE. Jusqu'à maintenant, 23 634...

MADELEINE. Comment ça se fait qu'il a réussi à mettre ça sur Internet? Il a de la misère à envoyer un courriel.

ISABELLE. Il dit que c'est Nathalie qui l'a aidé.

Madeleine considère sa fille avec gravité. Patrick, mal à l'aise, fixe le sol.

22.

La chambre d'un centre qui accueille les personnes en perte d'autonomie. Isabelle aide Édouard à se déshabiller. Patrick regarde Isabelle, tête baissée, profil bas. Quand Édouard est en sous-vêtements, elle lui enfile son pyjama.

ÉDOUARD. Tu vas me laisser ici?

ISABELLE. Ça va te permettre de te reposer, un peu.

ÉDOUARD. Pis Madeleine, elle? Est-ce qu'elle va être ici? Je pense que ta mère a besoin de se reposer, elle aussi.

ISABELLE. Je vais revenir te voir, oké?

ÉDOUARD. Tu t'en vas couvrir les inondations, c'est ça?

ISABELLE. Quoi?

ÉDOUARD. Tu m'as pas dit que t'allais couvrir les inondations?

ISABELLE. Tu te souviens de ça?

ÉDOUARD. Je peux quand même pas tout oublier, mmm? *(Isabelle, submergée par l'émotion, acquiesce d'un signe de tête. Elle attache les boutons du haut de pyjama d'Édouard.)* Dis aux gens que tu rencontres – explique-leur que si l'eau s'infiltre dans leur maison, ils doivent mettre leurs albums photos à l'abri. Si ils ont écrit aussi des choses dans des cahiers. Qu'ils mettent ça en sécurité, quelque part, sur des étagères, suspendu dans les airs… Un jour, quelqu'un va avoir besoin de les voir, ces photos-là. D'accord? Tu leur dis ça.

Isabelle regarde son père et lui sourit tristement.

ISABELLE. On va revenir te voir. *(Elle embrasse son père sur le front et se dirige vers la sortie. Elle s'arrête et regarde Patrick, qui semble vouloir rester.)* Qu'est-ce que tu fais?

PATRICK. Tu peux y aller, je vais te rejoindre.

ISABELLE. Quoi?

PATRICK. J'aimerais ça, euh… rester un petit instant tout seul avec lui.

ISABELLE. Ben là. C'est pas comme si c'était ton père…

Patrick regarde Isabelle.

PATRICK. J'ai quand même passé du temps, pas mal de temps avec lui…

ISABELLE. S'cuse-moi. C'est correct. Je vais t'attendre à l'auto.

Isabelle sort. Patrick considère longuement Édouard.

ÉDOUARD. T'es mon infirmier?

PATRICK. Oui.

ÉDOUARD. Je te demande pas ton nom parce que de toute façon, je m'en souviendrai pus.

PATRICK. Oké.

ÉDOUARD. De toute façon, tu devrais porter une badge, avec ton nom dessus. Ça serait plus pratique.

PATRICK. Je voulais juste vous dire… Je pense que ça va être mieux pour tout le monde que vous soyez ici.

Votre fille a pas de temps. Elle peut pas vous donner le temps dont vous avez besoin. Si vous êtes là, vous l'empêchez de vivre sa vie. Si vous êtes là, elle arrive pas à aller de l'avant. Elle reste accrochée dans des vieilles histoires pas réglées, pis c'est ça : c'est trop lourd, elle arrive pas à aller de l'avant. *(Pause.)* C'est pas ça que vous voulez pour votre fille, j'imagine ?

ÉDOUARD. J'ai toujours voulu que mes filles soient libres. Le plus libres possible…

PATRICK. C'est ce que je me disais… *(Silence.)* Au revoir, monsieur Beauchemin. Ç'a été un honneur pour moi de faire votre connaissance.

ÉDOUARD. Oké… On se connaît ?

PATRICK. Ouais. Je pense qu'on peut dire ça, maintenant.

Patrick donne la main à Édouard, puis il se dirige vers la sortie.

ÉDOUARD. Jeune homme ! Dis-moi… Est-ce que tu connaîtrais ma fille, par hasard ? *(Patrick acquiesce.)* Bérénice… Si tu la connais, pourrais-tu lui dire de venir me voir ?

23.

Édouard, assis dans son lit, en pyjama, est en train d'écrire avec fébrilité dans son carnet.

On entend, en sourdine et avec beaucoup d'écho, la chanson « Tu te souviendras de moi », comme si elle provenait de l'au-delà.

24.

Édouard est assis sur le bord de son lit. Bérénice, portant le chandail de la fille d'Édouard, apparaît dans la pièce. Elle semble légèrement intimidée.

BÉRÉNICE. Salut.

ÉDOUARD. Salut, ma fille.

BÉRÉNICE. Ç'a l'air que ça va bien, aujourd'hui?

ÉDOUARD. Est-ce que je dois en déduire que ça allait mal hier?

BÉRÉNICE. Ton infirmier. Il m'a dit que t'étais dans une bonne journée. J'étais contente d'apprendre ça.

ÉDOUARD. Pourquoi ils me gardent ici, d'abord?

BÉRÉNICE. Voyons… Tu sais…

ÉDOUARD. Je vois pas il est où le problème! J'ai une excellente mémoire. Je pourrais te parler en détail des réformes d'Akhenaton…

BÉRÉNICE. Me réciter les plus beaux chants d'Homère, je sais… *(Édouard la regarde, intrigué.)* Tu m'as déjà tout conté ça, papa.

ÉDOUARD. Ah oui?

BÉRÉNICE. La semaine dernière.

ÉDOUARD. J'ai peut-être pas une si bonne mémoire que ça, finalement… *(Il regarde Bérénice et lui sourit.)* Je suis content que tu sois là.

BÉRÉNICE. Je suis contente de voir que tu vas bien.

ÉDOUARD. Je devais me douter que tu viendrais me voir… *(Pause. Bérénice sort de son sac le carnet d'Édouard.)* Qu'est-ce que tu fais avec ça ?

BÉRÉNICE. Tu me l'as donné hier. Tu voulais que je le lise.

ÉDOUARD. Ah oui ?

BÉRÉNICE. Tu te souviens pas ? Tu m'as dit que c'était important que j'en prenne connaissance.

ÉDOUARD. Ah oui ? Je t'ai dit ça ?

BÉRÉNICE. Tu t'en souviens pas du tout ? *(Édouard fait signe que non.)* J'aimerais ça t'en lire des passages…

ÉDOUARD. Vraiment ? Les mémoires d'un homme qui oublie tout ! Ça doit être divertissant pas mal !

BÉRÉNICE. C'est important…

ÉDOUARD. Bon bien, c'est beau. Vas-y.

BÉRÉNICE. Quelque chose qui date de quelques semaines… *(Lisant.)* «À propos de Madeleine. Se souvenir de ne pas lui en vouloir. Se souvenir du début de notre amour. Se souvenir de ce qui a fait que j'ai eu envie de l'aimer. Se souvenir de son regard. Intimidé. Son sourire, rouge de plaisir, rien qu'à me regarder. Me souvenir de la lumière de cette journée-là. Les rayons du soleil traversant les branches des arbres. Se souvenir. Si seulement les gens se souvenaient, ils ne se quitteraient jamais. »

Elle lève les yeux et regarde Édouard.

ÉDOUARD. C'est un peu fleur bleue. On croirait entendre un extrait de roman Harlequin.

BÉRÉNICE. Je trouve ça beau, moi. *(Pause. Elle retourne au carnet, le feuillette, s'arrête à une autre page et poursuit sa lecture.)* « Quand je serai mort, je voudrais qu'on mette mon corps dans un sac de vidanges, et qu'on le dépose sur le bord du chemin… »

ÉDOUARD. Ah. C'est déjà pas mal moins fleur bleue…

BÉRÉNICE, *poursuivant.* « Je ne veux pas de cérémonie. Je ne veux pas de cercueil, pas de pierre tombale, pas de plaque commémorative… À tous les jours, des animaux meurent, des arbres, des plantes, des insectes… Tout ça disparaît sans que personne ne pleure, sans que personne n'y fasse attention… C'est le cours normal des choses. C'est comme le Québec. Comme peuple, nous aurons été une étrangeté sur le continent américain. Notre disparition, bien que regrettable, ne sera pas nécessairement une grande perte pour l'histoire de l'humanité. Notre langue ne se fera plus entendre. Et puis ? Qui se souvient de tous les peuples sacrifiés de l'Histoire ? Pleure-t-on, ici, le sort réservé aux diverses nations amérindiennes ? Au XVIe siècle, les Espagnols ont pulvérisé une des civilisations les plus avancées de la planète afin de piller ses trésors et son or. Détruire pour posséder l'or des autres. Comme un présage du capitalisme sauvage qui allait survenir quelques siècles plus tard et tout saccager sur son passage, comme, aujourd'hui, le phragmite commun… » *(Pause.)* Y a fallu que j'aille sur Internet pour savoir c'était quoi, ça, le phragmite commun… Vous… tu me croiras pas, mais en faisant une recherche sur YouTube, on peut voir des vidéos… Un gars qui a filmé des oiseaux qui sont perchés sur des… tiges de phragmite… Des oiseaux qui mangent des morceaux de phragmite…

100

ÉDOUARD. Eh ben… Le phragmite commun a son vidéo sur YouTube !

BÉRÉNICE. Y a une dernière chose que je dois vous lire.

ÉDOUARD. T'as recommencé à me vouvoyer, toi…

BÉRÉNICE. « Je sais que pour le moment, je n'ai qu'un pied dans le gouffre. Et que bientôt, je vais y glisser complètement. Le pire est à venir. Il est presque là, je le sens. Bientôt, je serai… comment dire… entouré de brouillard. En permanence. Il ne me restera que le présent. Le moment présent que je passerai, si je suis chanceux et qu'on ne m'abandonne pas complètement, à discuter avec des proches dont je serai pourtant si éloigné que je ne pourrai les reconnaître. Alors, la question se pose. À quoi bon ? Pourquoi vivre le moment présent si cinq minutes plus tard, il n'en reste plus rien ? Cette forme de disparition, ma disparition, est définitivement trop lente. Il faudrait partir d'un coup. Plonger dans la mort une fois pour toutes. Mais qui peut m'aider ? Qui peut me donner la poussée dont j'ai besoin pour cesser d'exister ? Peut-être toi, Bérénice ? En aurais-tu le courage ? » *(Long temps.)* C'est ce que je voulais vous lire…

ÉDOUARD. C'est moi qui a écrit ça ?

BÉRÉNICE. Vous vous en souvenez pas ?

ÉDOUARD. Non…

BÉRÉNICE. Vous m'avez donné votre carnet hier en me disant de lire la dernière page. De lire ce que je viens de vous lire. *(Long silence.)* Qu'est-ce que vous en pensez ? Aujourd'hui ? Maintenant ?

Édouard réfléchit longuement.

ÉDOUARD. Je sais pas… Tout ce que je sais, c'est que pour l'instant, là, maintenant, je suis avec toi et j'avoue, je suis pas certain de savoir qui tu es exactement… J'aimerais que tu sois ma fille, mais je sais très bien que tu l'es pas… mais aussi, ce que je ressens, c'est que j'ai pas envie que ça s'arrête.

BÉRÉNICE. Donc… Ce que vous me dites… Ce que vous êtes en train de me dire, c'est que ce qui est écrit dans votre carnet – que la trace que vous avez laissée hier – a aucune valeur?

ÉDOUARD. Bonne question. C'est une très bonne question… C'est… *La* question, j'imagine… *(Long temps. Il regarde Bérénice et lui sourit.)* T'es qui? Qu'est-ce que tu fais dans la vie? Parle-moi de toi.

BÉRÉNICE. Vous allez oublier de toute façon.

ÉDOUARD. Je m'en fous. J'ai envie de t'écouter…

Noir.

Montréal
26 avril 2011 – 17 avril 2013

OUVRAGE RÉALISÉ PAR
LUC JACQUES, TYPOGRAPHE
ACHEVÉ D'IMPRIMER
EN MAI 2014
SUR LES PRESSES
DE MARQUIS IMPRIMEUR
POUR LE COMPTE DE
LEMÉAC ÉDITEUR, MONTRÉAL

DÉPÔT LÉGAL
1re ÉDITION : 1er TRIMESTRE 2014
(ÉD. 01 / IMP. 02)